LLYFR POCED

LLENYDDIAETH
CYMRU

LLYFR POCED

LLENYDDIAETH CYMRU

DAFYDD JOHNSTON

CAERDYDD
GWASG PRIFYSGOL CYMRU
1998

Manylion Catalogio Cyhoeddi'r Llyfrgell Brydeinig

Mae cofnod catalogio'r gyfrol hon ar gael gan y Llyfrgell Brydeinig.

ISBN 0-7083-1490-2

Cyhoeddir gyda chymorth ariannol Cyngor Celfyddydau Cymru

Argraffwyd yng Nghymru gan Wasg Dinefwr, Llandybïe

Rhagair

Mae'r llyfryn hwn yn ymgais i roi darlun cytbwys a gwrthrychol o hanes llenyddiaeth yng Nghymru, ond mae'n anorfod bod fy niddordebau a'm rhagfarnau i wedi lliwio'r darlun. Ceisiais fod mor gynhwysfawr â phosibl o fewn ffiniau cryno'r llyfr poced, a rhaid imi ymddiheuro i'r llu o awduron da diweddar nas crybwyllwyd oherwydd diffyg gofod. Gobeithiaf, serch hynny, y bydd fy ngwaith yn fodd i gyflwyno ein hetifeddiaeth lenyddol i ddarllenwyr newydd. Mae arnaf ddyled i ddau o'm cydweithwyr yn Abertawe, Dr Christine James a Dr Cynfael Lake, am eu cyngor doeth, a charwn ddiolch hefyd i Janet Davies, Susan Jenkins a Liz Powell o Wasg Prifysgol Cymru am eu cymorth medrus.

Cynnwys

Cydnabyddiaeth

Dymuna'r awdur a'r cyhoeddwyr ddiolch i'r deiliaid hawlfraint am eu caniatâd caredig i atgynhyrchu'r canlynol:

Lluniau

Llun y clawr: 'Geiriau Waldo' gyda chaniatâd Mary Lloyd Jones.

Llyfr Aneirin (t. 6), Llyfr Du Caerfyrddin (t. 16), Peniarth 28 (t. 27), Peniarth 109 (t. 42), Beibl 1588 (t. 50) a *Gwaedd ynghymru* (t. 52), William Williams Pantycelyn (t. 66), Eisteddfod Genedlaethol Aberystwyth, 1865 (t. 71), Daniel Owen (t. 76) a Lewis Valentine, Saunders Lewis a D. J. Williams (t. 95), gyda chaniatâd Llyfrgell Genedlaethol Cymru.

Lewis Morris (t. 60) a Caradoc Evans (t. 90), gyda chaniatâd Amgueddfa Genedlaethol Cymru.

T. H. Parry-Williams (t. 86), Gwyn Thomas (t. 101), Kate Roberts (t. 106), Dylan Thomas (t. 109), R. S. Thomas (t. 120), Emyr Humphreys (t. 123), Alan Llwyd (t. 127), *Dal Clêr* (t. 129) a Gillian Clarke (t. 133), gyda chaniatâd Cyngor Celfyddydau Cymru.

Idris Davies (t. 103), gyda chaniatâd Gwyn a Ceinfryn Morris.

Darnau o farddoniaeth ac o ryddiaith

'Marwnad Owain ab Urien', dau bennill o'r *Gododdin*, darn o 'Edmyg Dinbych', darn o 'Cân yr Henwr' a darn o 'Stafell Cynddylan', o *Y Traddodiad Barddol* (Gwasg Prifysgol Cymru, 1976), gyda chaniatâd Gwyn Thomas.

'Efnysien yn taflu mab Branwen i'r tân' ac 'Owain yn gweld Iarlles y Ffynnon yn galaru am ei gŵr', o *Y Mabinogion* (Gwasg Gomer, 1995), gyda chaniatâd Dafydd a Rhiannon Ifans.

'Hon', T. H. Parry-Williams, gyda chaniatâd ystâd T. H. Parry-Williams.

Darn o 'A Father in Sion', o *My People,* Caradoc Evans, gyda chaniatâd Seren Books.

'J. S. L.', R. Williams Parry, gyda chaniatâd Gwasg Gee.

Darn o *Buchedd Garmon*, Saunders Lewis, gyda chaniatâd ystâd Saunders Lewis.

'Gwalia Deserta XXVI', Idris Davies, gyda chaniatâd Ceinfryn a Gwyn Morris.

'Morning', Glyn Jones, gyda chaniatâd ystâd Glyn Jones.

Darn o 'Ym Merlin – Awst 1945', Alun Llywelyn-Williams, gyda chaniatâd Alis Llywelyn-Williams.

'Preseli', Waldo Williams, gyda chaniatâd J. D. Lewis a'i Feibion, Gwasg Gomer.

'Rwyt ti f'anwylyd sanctaidd yn llawn o ryw' o *Casgliad o Gerddi* (Barddas, 1989), gyda chaniatâd Bobi Jones.

'Reservoirs', gyda chaniatâd R. S. Thomas.

'Israel', Harri Webb, gyda chaniatâd Meic Stephens.

'Taliesin', a gyhoeddwyd yn *Swagmag* ac wedyn yn *Chwarae Mig* (Barddas, 1995), gyda chaniatâd Emyr Lewis.

Darn o *Seren Wen ar Gefndir Gwyn*, gyda chaniatâd Robin Llywelyn.

'Y Pethe', o *Llanw a Thrai* (Gwasg Gwalia, 1989), gyda chaniatâd Ieuan Wyn.

1 Y Cynfeirdd

Y traddodiad barddol

Mae'r traddodiad barddol Cymraeg yn hynod oherwydd ei hynafiaeth a'i barhad di-dor dros fil o flynyddoedd. Gwaith dau fardd o ddiwedd y chweched ganrif OC, Taliesin ac Aneirin, yw'r farddoniaeth Gymraeg gynharaf sydd wedi goroesi, a dyma lenyddiaeth gynharaf Ewrop wedi'r ieithoedd clasurol. Hon yw 'yr hengerdd' (term sydd hefyd yn cynnwys y canu englynol a drafodir ym mhennod 2), a'r beirdd cynnar hyn yw'r Cynfeirdd. Mawrygid Taliesin yn arbennig gan feirdd yr Oesoedd Canol fel sylfaenwr y traddodiad mawl, a byddai adleisiau bwriadol o'r hengerdd yn rhan o wead eu cerddi. Mae egin y gynghanedd i'w weld ym mhatrymu seiniol cywrain y Cynfeirdd. Ond ni ddylid gweld Taliesin ac Aneirin yn arloeswyr mewn gwirionedd, eithr yn hytrach yn etifeddion traddodiad barddol hynafol a oedd yn gyffredin i'r ieithoedd Celtaidd ac a ymgorfforai ddelfrydau cymdeithasol Indo-Ewropeaidd. Safent ar ddiwedd y cyfnod Brythonig yn hanes Prydain, bron i ddau gan mlynedd ar ôl i'r Rhufeiniaid ymadael â'r ynys, ac mae'u gwaith yn cadw cof am y brwydro tyngedfennol rhwng llwythau Brythonig gogledd Prydain a'r goresgynwyr Ellmynig.

Ni ddylid ychwaith feddwl am y traddodiad barddol fel peth unffurf a digyfnewid, er gwaethaf ei gryfder. Byddai amryw fathau o farddoniaeth yn bod ar unrhyw adeg, rhai'n llai aruchel a cheidwadol na'r canu mawl canolog. Pe bai popeth wedi goroesi, diau y byddai'r darlun yn llawer mwy cymhleth nag yr ymddengys ar ôl i amser wneud ei waith dethol. Gellir gweld Taliesin fel ysbryd arweiniol y traddodiad mewn mwy nag un ffordd hefyd. Yn ogystal ag archdeip y bardd llys, mae yna Taliesin chwedlonol, y newidiwr ffurf (gw. pennod 2), a gall hwnnw ddarparu trosiad ar gyfer y modd y mae beirdd wedi addasu ac adnewyddu'r traddodiad yn barhaus yn ôl amgylchiadau'u hoes. Y tyndra rhwng parhad a newydd-deb yn hanes llenyddiaeth Cymru fydd un o themâu canolog yr arolwg hwn.

Yr Hen Ogledd

O ran iaith yn unig y mae'r farddoniaeth Gymraeg gynharaf yn perthyn i Gymru. Ar ddiwedd y chweched ganrif siaredid ffurf gynnar ar yr iaith Gymraeg yn rhan orllewinol Prydain o dde'r Alban i lawr i Gernyw. Roedd llwythau Ellmynig wedi meddiannu rhan ddwyreiniol yr ynys, ac roeddynt yn graddol estyn eu tiriogaethau tua'r gorllewin. Dim ond un o gerddi Taliesin sy'n ymwneud â Chymru yn ddaearyddol. Perthyn y gweddill a'r cwbl o waith Aneirin i deyrnasoedd Brythonig yr ardal sydd yn awr yn ogledd Lloegr a de'r Alban. Roedd tair teyrnas annibynnol yn yr ardal honno, sef Rheged o gwmpas aber afon Solway, Ystrad Clud yn bellach i'r gogledd o gwmpas aber afon Clyde, a Gododdin i'r dwyrain a'i chanolfan yng Nghaeredin. Ar ôl cwymp teyrnasoedd Rheged a Gododdin yn y seithfed ganrif, fe ddichon i draddodiadau a chwedlau'r Gogledd gael eu cadw yn Ystrad Clud cyn eu trosglwyddo i Gymru, lle y daethant i gynrychioli oes arwrol chwedlonol y Brythoniaid, gan ddarparu deunydd ar gyfer beirdd a storïwyr Cymraeg am ganrifoedd. Bu cryn dipyn o ddadlau ymhlith ysgolheigion ynghylch dilysrwydd y farddoniaeth gynnar hon, gan fod y copïau llawysgrif yn ddiweddarach o lawer na chyfnod honedig y canu, a bod y testunau'n ddiau wedi'u llygru wrth gael eu trosglwyddo ar lafar ac yn ysgrifenedig, ond y farn gyffredinol yw bod craidd o ganu dilys o'r chweched ganrif wedi goroesi yn weddol agos at ei ffurf wreiddiol.

Taliesin

Mae gwaith Taliesin wedi'i gadw mewn llawysgrif o ddechrau'r bedwaredd ganrif ar ddeg a adwaenir fel Llyfr Taliesin. O blith y casgliad mawr o farddoniaeth gynnar a chanoloesol a briodolir i'r bardd chwedlonol (gw. pennod 2), didolwyd deuddeg cerdd sy'n perthyn i'r chweched ganrif. O'r deuddeg hyn, mae un yn foliant i Gynan Garwyn, brenin Powys tua 580, mae dwy yn cyfarch Gwallawg, a reolai deyrnas fach Elfed (yn yr ardal lle mae Leeds heddiw), ac mae'r naw arall yn ymwneud ag Urien, brenin Rheged, a'i fab Owain. Os derbynnir y rhain i gyd yn waith dilys Taliesin, yna gellid damcaniaethu bod y bardd yn frodor o Bowys a ymfudodd i'r Gogledd, wedi'i ddenu efallai gan fri Urien. Gellid cysylltu'r gerdd ddadolwch a ganodd Taliesin i ofyn maddeuant Urien â'r ddwy gerdd foliant a ganodd i'w gystadleuydd Gwallawg. Ar y llaw arall, mae'r un mor ddichonadwy bod Taliesin mewn gwirionedd yn frodor o Reged ac yn fardd llys i Urien, a bod y tair cerdd i arglwyddi eraill wedi'u cambriodoli iddo oherwydd ei enw mawr mewn cyfnod diweddarach.

Hanfod barddoniaeth Taliesin yw'r darlun o'r arglwydd delfrydol ym mherson Urien Rheged. Gwelir bod y darlun hwn yn batrwm ar gyfer canu mawl yr Oesoedd Canol i gyd. Mae'r delfryd yn un

Taliesin

'Marwnad Owain ab Urien'

Enaid Owain ab Urien
  gobwyllid ei Rên i'w raid.
Rheged udd a'i cudd tromlas,
  nid oedd fas i gywyddaid.
Isgell cerddglyd clodfawr:
  esgyll gawr gwaywawr llifaid!
Can ni cheffir cystedlydd
  i udd Llwyfenydd llathraid.
Medel gâlon, gefeilad,
  eisyllud ei dad a'i daid.
Pan laddodd Owain Fflamddwyn
  nid oedd fwy nogyd cysgaid.
Cysgid Lloegr llydan nifer
  â lleufer yn eu llygaid.
A rhai na ffoynt haeach
  oedd hyach no rhaid.
Owain a'u cosbes yn ddrud,
  mal cnud yn dylud defaid.
Gŵr gwiw uch ei amliw seirch,
  a roddai feirch i eirchaid.
Cyd as cronnai mal caled
  rhy ranned rhag ei enaid,
Enaid Owain ab Urien.

[Enaid Owain ab Urien,/ystyried ei Arglwydd ei angen./ Arglwydd Rheged a [thywarchen] drom, las yn ei guddio,/nid oedd heb ddefnydd i'w foli./Un enwog-ar-gerdd, clodfawr, mewn bedd:/esgyll brwydr oedd ei waywffyn hogedig!/Canys ni cheir tebyg/i arglwydd Llwyfenydd wych./Medelwr gelynion, gafaelwr,/o natur ei dad a'i daid./Pan laddodd Owain Fflam-ddwyn/nid oedd fwy na chysgu iddo./Cysga llu mawr Lloegr/ efo golau yn eu llygaid./A'r rhai na ffoent fawr ddim/oedd yn fwy hy nag oedd rhaid bod./Owain a'u cosbodd yn ffyrnig,/fel haid o fleiddiaid yn erlid defaid./Milwr gwych uwch ei arfwisg amryliw,/un a roddai feirch i rai'n gofyn./Er ei fod yn ei hel [h.y. cyfoeth] fel cybydd/fe'i rhannwyd oherwydd ei enaid,/ Enaid Owain ab Urien.]

(Diweddariad gan Gwyn Thomas, *Y Traddodiad Barddol*)

cytbwys rhwng ffyrnigrwydd wrth arwain ei filwyr ar faes y gad a gwarineb tuag at ei ddilynwyr yn ei lys. Y brenin ei hun oedd yn gyfrifol am les ei bobl mewn rhyfel ac mewn heddwch. Y tu ôl i'r delfryd hwn y mae'r gred gyntefig bod ffyniant gwlad yn dibynnu ar briodoleddau brenhinol ei harglwydd. Swyddogaeth mawl y bardd oedd sicrhau'r llwyth bod ei frenin yn deilwng i'w arwain. Byddai'n datgan cyfiawnder y drefn oedd ohoni, tra ar yr un pryd yn atgoffa'r brenin o'i ddyletswyddau tuag at ei bobl.

Mae cerddi Taliesin yn weddol fyr, tua deg llinell ar hugain ar gyfartaledd. Cynildeb yw nod amgen ei arddull, gydag ymadroddi tyn a delweddau awgrymog. Hyd yn oed yn y cerddi sy'n dathlu campau milwrol ei noddwyr nid adroddir yr hanes, ond crëir argraff fyw o'r digwyddiadau trwy fanylion gweledol trawiadol (megis y meirwon ar faes y gad â lleufer yn eu llygaid, neu ddŵr yr afon fel gwin coch gan waed y frwydr), a thrwy ddramateiddio. Yn 'Gwaith Argoed Llwyfain' cawn union eiriau'r gelyn yn mynnu gwystlon, ac atebion herfeiddiol Owain a'i dad. Yr unig awgrym o'r gyflafan sy'n dilyn yw darlun o gigfrain yn ymborthi ar y celanedd. Mae dwyster yr arddull wedi'i atgyfnerthu gan gyflythrennu ac odlau mewnol. Cysylltir geiriau allweddol trwy gyfatebiaeth cytseiniaid, fel yn y disgrifiad cwta hwn o ganlyniad brwydr: 'A gwedy boregat briwgic'.

Un o brif swyddogaethau'r bardd llys oedd canu marwnad ar farwolaeth ei arglwydd. Marwnad Taliesin i Owain ab Urien yw'r esiampl gynharaf sydd gennym o'r math pwysig hwn o farddoniaeth. Rhydd Taliesin fwy o le i fawrygu bywyd Owain nag i alaru am ei farwolaeth, ac mae'n ymhyfrydu'n waetgar yn ei fuddugoliaethau dros ei elynion. Gwelir dylanwad Cristnogaeth yn y weddi dros yr enaid ar ddechrau a diwedd y gerdd, ond wrth ddatgan bri diddarfod y rhyfelwr arddelai'r bardd ddelfryd arwrol a oedd yn baganaidd yn y bôn.

Aneirin

Canai Aneirin tua'r un adeg â Thaliesin ar ddiwedd y chweched ganrif, ac ef oedd awdur cerdd hir o'r enw *Gododdin*, sy'n coffáu campau rhyfelwyr o lwyth y Gododdin a'u cynghreiriaid a drechwyd gan fyddin Angliaidd lawer mwy o deyrnasoedd Deira a Bernicia ym mrwydr Catraeth (Catterick yng ngogledd swydd Efrog, yn ôl pob tebyg). Nid oes sôn am y frwydr mewn unrhyw ffynhonnell arall, ac nid yw'r gerdd yn adrodd yr hanes, ond gellir casglu braslun o'r digwyddiadau. Fe ymddengys i Fynyddawg Mwynfawr, arglwydd llwyth y Gododdin, gasglu ynghyd lu dethol o dri chant o wŷr meirch o bob rhan o diriogaeth y Brythoniaid. Buant yn gwledda yn ei lys yn Nineidyn (Caeredin) am flwyddyn, ac yn hyfforddi ar gyfer cyrch yn erbyn Catraeth, ryw gant a hanner o filltiroedd i'r de. Er i bawb ond un o'r tri chant gael eu lladd, llwyddasant i ladd llawer mwy o'r gelynion. Diau fod rhyw amcan strategol i'r cyrch, ond yng ngolwg Aneirin y peth pwysicaf oedd teyrngarwch y rhyfelwyr i'w harglwydd. Yn ôl y foeseg arwrol, roedd disgwyl iddynt dalu am y croeso a gaent yn llys eu harglwydd trwy fod yn barod i aberthu'u bywydau drosto ar faes y gad. Symbol o'r ymrwymiad tyngedfennol hwnnw oedd y ddefod o yfed medd. Marwolaeth anrhydeddus ar faes y gad oedd gogoniant mwyaf y rhyfelwr, a chwaraeai cerdd y bardd ran allweddol trwy sicrhau ei glod tragwyddol.

Cedwir y *Gododdin* yn Llyfr Aneirin, llawysgrif a ysgrifennwyd yn ail hanner y drydedd ganrif ar ddeg. Ceir dau fersiwn annibynnol o'r gerdd yn y llawysgrif, a elwir yn destun A a thestun B. Testun B sydd â'r orgraff fwyaf hynafol, ac mae'n debyg ei fod yn tarddu o gynsail a luniwyd yn y nawfed ganrif neu'r ddegfed. Mae gwahaniaethau sylweddol rhwng y ddau destun sy'n awgrymu bod y gerdd wedi'i throsglwyddo ar lafar am beth amser cyn hynny. Ffurf weddol lac sydd i'r gerdd, yn gyfres o benillion odledig byrion sy'n cynnwys rhyw fil o linellau i gyd. Mae pob pennill yn uned ar wahân, yn sôn naill ai am un neu ragor o ryfelwyr, neu am yr osgordd gyfan. Cwmpesir yr hanes cyfan ym mhob pennill, gan newid persbectif yn barhaus, o'r gwledda o flaen llaw, trwy'r daith i Gatraeth a'r frwydr ei hun, i'r tawelwch a'i dilynodd. Mae'r gerdd felly'n troi'n ddi-baid o amgylch y digwyddiad canolog, heb unrhyw ddatblygiad llinellol, heb ddechrau na diwedd.

Fel Taliesin, roedd gan Aneirin ddawn ryfeddol i grynhoi'r drasiedi mewn un ymadrodd grymus, fel ail linell y dyfyniad cyntaf yma, lle y tanlinellir yr eironi chwerw gan yr odl rhwng *ancwyn* a *gwenwyn*. Mae'r cyfeiriad yn yr ail ddyfyniad at gleddyf yn seinio ym mhennau mamau yn ffordd iasol o gyfleu llwyddiant yr arwr, ond camgymeriad fyddai credu ar sail hynny fod y bardd yn teimlo unrhyw drueni dros y gelyn. Serch hynny, fe welai'n glir ganlyniadau anochel y delfryd arwrol, ac felly mae mawl a galar yn dilyn ei gilydd o hyd, ac o'r tyndra rhwng y ddau y deillia llawer o rym y *Gododdin*.

Gyda'i gilydd mae Taliesin ac Aneirin yn cynnig darlun crwn o swyddogaethau'r bardd llys, y naill yn canu i'r brenin a'r llall i'w osgordd ryfel ffyddlon. Ac eto o ran eu harwyddocâd yn y traddodiad maent yn wrthwyneb i'w gilydd. Tra bod Taliesin yn cyflwyno patrwm o arglwydd llwyddiannus, dathlu methiant arwrol a wnâi Aneirin. O ystyried y gwrthsefyll a'r colli sydd wedi nodweddu hanes gwleidyddol

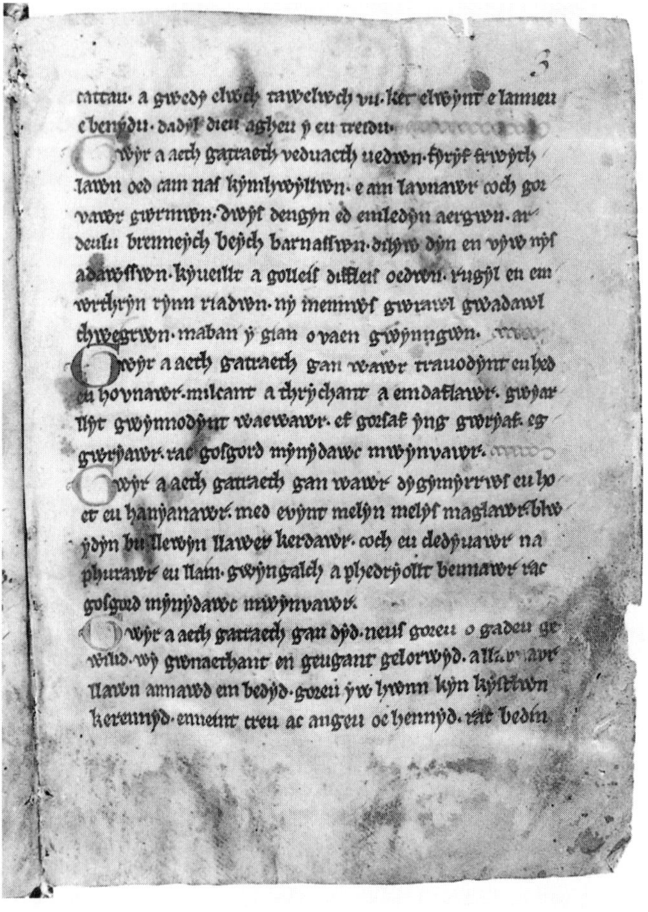

Tudalen o Lyfr Aneirin.

y Cymry ers yr Oesoedd Canol cynnar, nid yw'n syndod i'r *Gododdin* fod yn arbennig o ystyrlon iddynt. Ac yn sgil yr ymwybyddiaeth fodern o oferedd trasig rhyfel mae'r gerdd wedi magu arwyddocâd newydd ac wedi ysbrydoli nifer o weithiau am ryfel, yn enwedig *In Parenthesis* David Jones.

Aneirin

Dau bennill o'r Gododdin

Gwŷr a aeth Gatraeth oedd ffraeth eu llu,
Glasfedd eu hancwyn, a gwenwyn fu.
Trichant trwy beiriant yn catäu;
A gwedi elwch tawelwch fu.
Cyd elwynt lannau i benydu,
Dadl diau angau i eu treiddu.

[Roedd y gwŷr aeth i Gatraeth yn llu parod,/medd ffres oedd eu diod, a bu'n wenwyn./Tri chant yn brwydro drwy orchymyn;/ ac wedi'r twrw bu tawelwch./Er iddynt fynd i eglwysi i wneud penyd/stori wir yw i angau eu cael.]

Isag anfynawg o barth deau,
Tebyg môr lliant ei ddefodau
  O ŵyledd a llariedd
  A chain yfed medd:
  Men yd glawdd ei offer
  Ei bwyth maddau!
Ni bu hyll dihyll, na hau diau.
Seiniesid ei gleddyf ym mhen mamau.
Mur graid, oedd molaid ef, mab Gwyddnau.

[Isag wych o dueddau'r de,/tebyg i lanw'r môr ei arferion/ ynglŷn â gwyleidd-dra ac addfwynder/a chain yfed medd:/lle y tylla'i arfau/mae o'n gadael heibio'i ddial!/Bu'n ffyrnig drwodd a thro, bu'n sicr drwodd a thro./Seiniodd ei gleddyf ym mhennau mamau./Mur brwydr, roedd ef, mab Gwyddnau, yn uchel ei glod.]

(Diweddariad gan Gwyn Thomas, *Y Traddodiad Barddol*)

Canu arwrol diweddarach

Yn wahanol i'r farddoniaeth gymharol helaeth o ddiwedd y chweched ganrif, ychydig iawn o ganu mawl sydd wedi goroesi o'r pum canrif ddilynol. Sonnir am y cyfnod hwn fel 'y bwlch' weithiau, ond nid oes amheuaeth na fu beirdd yn dal i ganu yn nhraddodiad Taliesin ac

Rhan o 'Edmyg Dinbych'

Addwyn gaer ysydd yn yr eglan,
Addwyn yd roddir i bawb ei ran.
Adwen yn Ninbych – gorwen gwylan –
Cyweithydd Fleiddudd, udd erllysan.
Oedd ef fy nefawd i nos Galan
Lleddyfdawd gan ri, ryfel eirian,
A llen lliw ehöeg, a meddu prain
Oni fwyf tafawd ar feirdd Prydain.

Addwyn gaer ysydd a'i cyffrwy cerddau.
Oedd mau y rhydau a ddewiswn.
Ni lefaraf i daith – rhaith ryscadwn –
Ni ddly calennig ni wypo hwn.
Ysgrifen Brydain bryder bryffwn
Yn yd wna tonnau eu hamgyffrwn.
Perheid hyd bell y gell a dreiddwn!

[Mae caer deg ar y penrhyn,/yn deg y rhoddir [ynddi] i bawb ei ran./Rwy'n adnabod yn Ninbych (gwyn iawn ydyw'r wylan)/ gwmni Bleiddudd, arglwydd y llys bach./Fy arfer i ar nos Galan/ [oedd] cysgu gyda'r arglwydd, yr un disglair mewn brwydr,/a [gwisgo] mantell liw porffor, a mwynhau moeth,/fel yr wyf [rŵan] yn dafod beirdd Prydain [= prif lefarydd].

Mae caer deg a cherddi'n atseinio ynddi./Eiddof fi oedd y breintiau a ddewiswn./Ni lefaraf fi am hawliau – fe ddymunwn gadw'r drefn –/nid oes gan bwy bynnag nad yw'n gwybod hyn hawl i gael calennig./Roedd ysgrifeniadau Prydain yn brif wrthrych gofal/lle y gwna'r môr ei dwrw./Boed i'r gell lle'r ymwelwn bara'n hir!]

(Diweddariad gan Gwyn Thomas, *Y Traddodiad Barddol*)

Aneirin, gan foli arglwyddi'r teyrnasoedd annibynnol niferus a oedd yng Nghymru'r adeg honno. Collwyd bron y cwbl o'r canu hwnnw, naill ai am nas rhoddwyd ar glawr erioed neu am fod y llawysgrifau wedi diflannu. Cadarnheir parhad y traddodiad gan ambell ddarn a oroesodd o'r seithfed ganrif, megis y pennill am frwydr Strathcarron yn 642 a ychwanegwyd at destun y *Gododdin,* y gerdd fawl i Gadwallon ap Cadfan, brenin Gwynedd, a drechodd Edwin o Northumbria yn 633, a'r farwnad i Gynddylan, brenin Powys. Ni oroesodd dim y gellir ei ddyddio'n bendant i'r wythfed ganrif. Yr englynion chwedlonol a drafodir yn y bennod nesaf yw'r deunydd pennaf sydd ar gael o'r nawfed ganrif. Cerdd wych o ddiwedd y ganrif honno gan fardd llys dienw yw 'Edmyg Dinbych' yn moli llys brenhinol Dyfed yn Ninbych-y-pysgod, gyda'r cyfeiriad enigmatig at 'ysgrifen Brydain'. Gwelir ysbryd ffyrnig yr oes arwrol yn y gerdd ddarogan 'Armes Prydein' a gyfansoddwyd yn ne Cymru mewn ymateb i ymgais Athelstan o Wessex i godi trethi ar frenhinoedd Cymru yn y 930au. Darogenir cynghrair Celtaidd yn cynnwys lluoedd o Gymru, Cernyw, Llydaw, Iwerddon a'r Hen Ogledd i yrru'r Saeson ar ffo o Ynys Prydain.

2 *Barddoniaeth yr Oesoedd Canol Cynnar*

Canu chwedlonol

Yn wahanol i'r farddoniaeth arwrol a drafodwyd yn y bennod flaenorol, nid yw'r canu chwedlonol yn ymateb uniongyrchol i ddigwyddiadau hanes, ond yn hytrach yn greadigaeth ddychmygol wedi'i seilio ar hen draddodiadau a chwedlau am y gorffennol. Cyfansoddwyd y mwyafrif o'r cerddi chwedlonol yn y nawfed ganrif a'r ddegfed gan nifer o wahanol feirdd yn gweithio o fewn yr un traddodiad, a'r cwbl yn ddienw. Cyfeiriant at gymeriadau a digwyddiadau o'r chweched ganrif a'r seithfed, yng nghyd-destun rhyfela yn erbyn yr Eingl-Sacsoniaid naill ai yn yr Hen Ogledd neu ar y ffin rhwng Cymru a Lloegr. Y cymeriadau sy'n llefaru mewn sefyllfaoedd dramatig, ac nid adroddir naratif y digwyddiadau o gwbl. Arferid credu bod y cerddi'n rhan o berfformiad o'r chwedl gyfan mewn rhyddiaith, gan ddefnyddio barddoniaeth i ddynodi'r uchafbwyntiau teimladol, ac mai'r cerddi'n unig a gadwyd yn ysgrifenedig am fod iddynt ffurf eiriol sefydlog. Ond nid oes tystiolaeth gadarn i gefnogi'r theori honno, ac mae hefyd yn bosibl y byddai'r cerddi'n cael eu perfformio'n annibynnol, gan gyfeirio at chwedlau a oedd yn adnabyddus i'r gynulleidfa. Ceir tri phrif gylch, hynny yw grwpiau o gerddi â'r un cefndir chwedlonol. Yr un lleiaf eglur yw hwnnw sy'n ymwneud â marwolaeth Urien Rheged (noddwr Taliesin). Ym mhrif gerdd y cylch mae'r llefarwr anhysbys (efallai Llywarch Hen, cefnder Urien) yn dwyn pen Urien o faes y gad, ac ar yr un pryd yn galaru amdano. Mae'r ddau gylch arall yn gliriach o lawer, gyda chymeriadau cryf yn brif lefarwyr, sef Llywarch Hen a Heledd.

Yr englyn

Mesur y mwyafrif o'r cerddi chwedlonol yw'r englyn tair llinell. Y ddau brif fath yw'r englyn milwr, ac iddo dair llinell unodl o'r un hyd, a'r englyn penfyr, sydd ychydig yn fwy cymhleth ac iddo linell gyntaf hwy ac ail linell fyrrach. Mae'r gyfres o benillion yn strwythur effeithiol ar gyfer ymsonau ac ymddiddanion dramatig rhwng cymeriadau, a hefyd i gyfleu dwyster teimlad trwy ailadrodd geiriau allweddol ar ddechrau pob englyn. Addurnir y canu englynol gan gyseinedd ac odlau mewnol yr un mor gywrain â'r canu mawl, ac nid oes lle i gredu bod statws ei awduron yn is na beirdd llys y cyfnod. Yr englyn yw mesur y darnau cynharaf o farddoniaeth Gymraeg ysgrifenedig, sef cerdd grefyddol a dryll o gerdd chwedlonol goll. Adwaenir y rhain fel englynion Juvencus yn ôl cynnwys y llawysgrif Ladin yr ysgrifennwyd hwy ynddi tua diwedd y nawfed ganrif neu ddechrau'r ddegfed. Defnyddiwyd mesur yr englyn yn helaeth ar gyfer canu gwirebol neu ddiarhebol yn seiliedig ar ddisgrifiadau o fyd natur, dull sydd hefyd yn nodweddu'r cerddi chwedlonol.

Cylch Llywarch Hen

Cymeriad o'r Hen Ogledd oedd Llywarch Hen, yn gefnder i Urien Rheged yn ôl yr achau, ond adleolwyd ei stori yng Nghymru yng nghyd-destun yr ymdrech i amddiffyn y ffin rhag y Saeson. Gogledd Powys yw cefndir rhai o'r cerddi diweddarach, ond mae lle i gredu bod Llywarch yn gysylltiedig yn wreiddiol â'r llys brenhinol yn Llan-gors ger Aberhonddu. Fel yr awgryma'i gyfenw, hen ŵr yw Llywarch, a chanolbwynt y cylch yw ei berthynas â'i bedwar mab ar hugain. Fe'i gwelir mewn cerddi ymddiddan yn eu cymell i gyflawni campau arwrol, ac o ganlyniad i hynny lleddir y meibion i gyd, a gadewir Llywarch ar ei ben ei hun i alaru amdanynt ac i'w feio ei hun am eu marwolaethau. Ceir cryn dyndra dramatig yn yr ymddiddan â'r olaf o'i feibion, Gwên, a Llywarch yn cyhuddo'i fab o fod yn llwfrgi. Wrth i Lywarch ymffrostio am wrhydri ei ieuenctid sylwa Gwên yn ddeifiol, 'Ni bu eiddil hen yn was.' Serch hynny, â Gwên i wylio wrth y rhyd (lleoliad confensiynol brwydr unigol yr arwr), ac fe'i lleddir. Trwy dderbyn mai ei dafod ei hun sydd wedi achosi marwolaeth ei feibion, daw Llywarch yn agos at fwrw amheuaeth ar y delfryd arwrol o farwolaeth ar faes y gad fel gogoniant uchaf y milwr. Mae dewrder yn dal i fod yn ganmoladwy, ond gwelir gwerthoedd syml yr oes arwrol o bersbectif gwahanol iawn i safbwynt y canu mawl. Yn y canu chwedlonol nid ar gampau'r arwr marw y mae'r pwyslais, ond yn hytrach ar gyflwr seicolegol yr un a oroesodd, yn unig ac amddifad, ac ar yr hunanadnabyddiaeth sy'n deillio o ddioddefaint (thema a welir mewn cerddi Hen Saesneg a Gwyddeleg o'r un cyfnod). Daw cylch Llywarch Hen i uchafbwynt grymus gyda chŵyn angerddol yr hen ŵr am y cwbl a gollwyd, cerdd ddramatig sydd yn oesol ei hapêl.

Cylch Heledd

Digwyddiad canolog y cylch hwn yw marwolaeth Cynddylan, brenin gogledd Powys yn y seithfed ganrif (gŵr y ceir marwnad ddilys iddo

Cylch Llywarch Hen

Darn o 'Gân yr Henwr'

Y mae henaint yn cymŵedd
Â mi o'm gwallt i'm dannedd
A'r clöyn a gerynt y gwragedd.

Dir gwenn gwynt, gwyn gne godre
Gwŷdd; dewr hydd, diwlydd bre:
Eiddil hen, hwyr ei ddyre.

Y ddeilen hon, neus cynired gwynt,
Gwae hi o'i thynged:
Hi hen, eleni y'i ganed . . .

* * *

Ni'm dygred na hun na hoen
Gwedi lleas Llawr a Gwên:
Wyf anwar, abar: wyf hen.

Truan a dynged a dynged i Lywarch
Er y nos y'i ganed –
Hir gnif heb esgor lludded.

[Y mae henaint yn cellwair/â mi o'm gwallt i'm dannedd,/a'r allwedd a gâr y gwragedd. // Garw [?] yw'r gwynt, gwyn yw lliw godre/coed; dewr yw'r hydd, heb dwf yw'r bryn:/mae'r hen yn eiddil, araf yw ei symudiad. // Y ddeilen hon, mae'r gwynt yn ei symud hi yma a thraw,/gwae hi oherwydd ei thynged:/mae hi'n hen, [eto] eleni y ganed hi./ . . . Ni ddaw cwsg na llawenydd ataf/ar ôl lladd Llawr a Gwên./Rwy'n hen gorffyn anwar: rwy'n hen. // Tynged druenus a dyngwyd i Lywarch/er y nos y'i ganed –/llafur hir heb fwrw lludded.]

(Diweddariad gan Gwyn Thomas, *Y Traddodiad Barddol*)

o'r cyfnod hwnnw), ac anrheithio'i deyrnas gan Saeson Mercia. Ond ni ellir derbyn y cerddi fel cofnod cywir o hanes Powys yn y seithfed ganrif, gan ei bod yn bosibl bod Cynddylan wedi ymgynghreirio â'r

Saeson mewn gwirionedd. Y tebyg yw eu bod yn adlewyrchu'r rhyfela yn ardal y gororau adeg eu llunio yn y nawfed ganrif. Heledd, chwaer Cynddylan, sy'n galaru amdano, ac mae'i sefyllfa hi'n debyg i eiddo Llywarch Hen, y goroeswr unig sy'n dioddef canlyniadau

Cylch Heledd

Darn o 'Stafell Gynddylan'

Stafell Gynddylan, ys tywyll heno,
Heb dân, heb wely.
Wylaf wers, tawaf wedy.

Stafell Gynddylan, ys tywyll heno,
Heb dân, heb gannwyll.
Namyn Duw, pwy a'm dyry pwyll?

Stafell Gynddylan, ys tywyll heno,
Heb dân, heb oleuad,
Edlid a'm daw amdanad . . .

Stafell Gynddylan a'm gwân ei gweled
Heb doed, heb dân;
Marw fy nglyw, byw fy hunan.

Stafell Gynddylan, ys peithawg heno
Gwedi cedwyr bodawg –
Elfan, Cynddylan, Caeawg.

[Neuadd Cynddylan, mae mor dywyll heno,/heb dân, heb wely./ Wylaf dro, mi dawaf wedyn. // Neuadd Cynddylan, mae mor dywyll heno,/heb dân, heb gannwyll./Ar wahân i Dduw, pwy a all fy nghadw'n gall? // Neuadd Cynddylan, mae mor dywyll heno, heb dân, heb oleuad,/daw hiraeth amdanat ti drosof fi. . . . Neuadd Cynddylan, mae'n mynd drwof i'w gweld/heb do, heb dân;/mae fy arglwydd yn farw, a minnau, fy hunan, yn fyw. // Neuadd Cynddylan, mae mor ddiffaith heno/ar ôl y rhyfelwyr diysgog –/Elfan, Cynddylan, Caeog.

(Diweddariad gan Gwyn Thomas, *Y Traddodiad Barddol*)

rhyfel. Ond mae Heledd yn ffigwr mwy goddefol na Llywarch, a cheir dwyster emosiynol arbennig yn y cylch hwn oherwydd y ffocws ar ei cholled hi (sydd efallai'n adlewyrchu rôl merched fel galarwyr mewn angladdau). Cyfleir ei galar gwyllt obsesiynol yn rymus iawn trwy'r ddyfais o ailadrodd cynyddol mewn cyfresi sy'n myfyrio ar neuadd ddiffaith Cynddylan, ar drefi anrheithiedig ei diriogaeth, a'r mwyaf ingol o'r cwbl, ar yr eryrod a fydd yn bwyta ei gnawd. Canolbwynt y cylch yw'r darlun llwm o golled a diffeithwch a geir yn y gerdd enwog am ei neuadd, 'Stafell Gynddylan'. Ynghyd â cherdd gyffelyb am lys diffaith Rheged yng nghylch Urien, dyma gychwyn traddodiad hir o gerddi sy'n arbennig o ystyrlon yn y Gymru fodern fel delweddau o chwalfa gymdeithasol.

Cerddi chwedlonol eraill

Nid yw rhai cerddi o'r math hwn fawr mwy na sefyllfa ddramatig heb stori lawn y tu ôl iddi, megis cwyn deimladwy Claf Abercuawg, lle y defnyddir golygfa o fyd natur yn wrthgyferbyniad chwerw â chyflwr y llefarwr. Mae eraill fel darnau dirgel y collwyd yr allwedd naratif iddynt. Y mwyaf diddorol o'r rhain yw'r cerddi'n ymwneud ag Arthur, sy'n ddrylliau o gorff helaeth o draddodiadau'n rhagflaenu gwaith Sieffre o Fynwy. Mewn cerdd yn Llyfr Du Caerfyrddin (y casgliad cynharaf o farddoniaeth Gymraeg, a luniwyd yn ail hanner y drydedd ganrif ar ddeg) a adwaenir wrth ei llinell gyntaf, 'Pa gur yw y porthaur', mae Arthur a'i filwyr yn ceisio mynediad i ryw gaer. Gwelir Arthur mewn cyd-destun mytholegol yn y gerdd 'Preiddiau Annwfn', sy'n sôn am daith yn ei long *Prydwen* i gipio pair hud o gaer wydr ar ynys, sef yr arallfyd Celtaidd. Dywedir yn un o 'Englynion y Beddau' na cheir hyd i fedd Arthur fyth. Dyna'r mynegiant cynharaf o'r gred boblogaidd bod Arthur yn dal yn fyw, ac y bydd yn dychwelyd ryw ddiwrnod i arwain ei bobl i fuddugoliaeth.

Y bardd-weledydd

Y brif ddelwedd o'r bardd yn y traddodiad Cymraeg yw un y crefftwr gofalus a chynheiliad y drefn gymdeithasol, a gynrychiolir gan y Taliesin hanesyddol yn anad neb. Ond y mae delwedd wahanol iawn hefyd sydd wedi bod yn boblogaidd erioed, sef y gweledydd ysbrydoledig a gwyllt, y ceir ei gynsail mewn chwedlau am Daliesin a Myrddin. Yn sgil ei statws barddol uchel cysylltwyd Taliesin â stori werin am darddiad yr awen, a ddatblygodd yn y nawfed neu'r ddegfed ganrif yn ôl pob tebyg (er bod y fersiwn cynharaf yn dyddio o'r unfed

Defnyddir confensiynau'r canu natur yn deimladwy iawn yn y gerdd grefyddol hon gan fardd dienw, a oedd efallai'n gynnyrch adfywiad mynachaidd y ddeuddegfed ganrif

'Tristwch ym Mai'

Cyntefin ceinaf amser,
Dyar adar, glas calledd,
Ereidr yn rhych, ych yng ngwedd,
Gwyrdd môr, brithotor tiredd.

Ban ganont gogau ar flaen gwŷdd gwiw
Handid mwy fy llawfrydedd.
Tost mwg, amlwg anhunedd,
Can ethynt fy ngheraint yn adwedd.

Ym mryn, yn nhyno, yn ynysedd môr,
Ym mhob ffordd ydd eler,
Rhag Crist gwyn nid oes anialedd.

Oedd ein chwant – ein câr, ein trosedd –
Dreiddaw ddi dir dy alltudedd.
Saith saint a saithugaint a seithgant
A want yn un orsedd:
I gyd â Christ gwyn, ni phorthynt-wy fygyledd.

Rheg a archaf-i, ni'm nacer:
Yrhof a Duw dangnofedd.
A'm bo ffordd i borth rhiedd;
Grist, ni bwyf drist i'th orsedd.

[Dechrau Mai yw'r adeg harddaf,/llafar yw'r adar, glas yw'r gwlydd,/yr erydr yn y rhych, yr ych dan yr iau,/gwyrdd yw'r môr, brithir y meysydd. // Pan gano cogau ar frig coed gwych/ bydd fy nhristwch yn fwy./Poenus yw mwg, amlwg yw diffyg cwsg/oherwydd i'm cyfeillion ddarfod. // Ar fryn, mewn pant, ar ynysoedd y môr,/ym mha ffordd bynnag yr â dyn,/ Oherwydd Crist sanctaidd, nid oes unman yn anial. // Ein dyhead – ein cyfaill, ein cyfryngwr –/fyddai cael mynd i dir d'alltudiaeth./ Saith, a saith ugain, a saith cant o saint/a aeth yn un cynulliad;/ gyda'r Crist sanctaidd ni ddioddefant ofn. // Gofynnaf am rodd, na'm gwrthoder:/sef tangnefedd rhyngof a Duw./Bydded imi ffordd i borth y gogoniant;/O Grist na foed imi fod yn drist gerbron dy orsedd.]

aur y tarian. hid attad y
daeth rad kyulaun. llas
kyndur tra messur y ku
ynan. llas haelon o din
on tra uuan. Try uur.
nod maur eu clod. gan.
elgan. MIRTH. Truy a ch
tin. Ruy. a ruy. trav a ch
rau undoech y doechan.

Tudalen o Lyfr Du Caerfyrddin.

ganrif ar bymtheg). Yn Hanes Taliesin mae Gwion Bach yn was i Geridwen y wrach, ac ef sy'n gofalu am y pair lle berwir diod hud a fydd yn rhoi gallu cyfrin i fab Ceridwen. Ar ôl i Wion lyncu tri diferyn trwy ddamwain, mae'n newid ei ffurf sawl gwaith i geisio dianc rhag Ceridwen, ond o'r diwedd caiff ei lyncu ganddi a'i aileni fel y bardd Taliesin ('talcen hardd'), a chanddo ddawn gweledydd. Mae persona shamanaidd Taliesin yn amlwg iawn yn y cerddi a briodolir iddo yn Llyfr Taliesin, sy'n ei gyflwyno fel un yn meddu ar wybodaeth gyfrin (gan gynnwys tipyn o ddysg Gristnogol). Yn wahanol i Daliesin, fe ymddengys mai ffigwr chwedlonol pur oedd Myrddin, yn gysylltiedig â Suibhne Geilt yn y Wyddeleg. Credid iddo dderbyn dawn proffwyd yn ganlyniad i weledigaeth arswydus a gafodd yn ystod brwydr Arfderydd yn yr Hen Ogledd. Wedi hynny bu'n byw yn ddyn gwyllt yng Nghoed Celyddon. Cymeriad gwahanol (er yn debyg o ran ei ddawn fel gweledydd) yw'r dewin Arthuraidd o'r un enw (Merlin yn Saesneg), a ddyfeisiwyd gan Sieffre o Fynwy yn y ddeuddegfed ganrif. Defnyddiwyd enwau Taliesin a Myrddin hyd y bymthegfed ganrif i roi awdurdod i nifer o gerddi daroganol tywyll yn proffwydo buddugoliaeth dros y Saeson.

3 *Rhyddiaith yr Oesoedd Canol*

Y storïwr

Yr enw canoloesol ar y storïwr oedd 'y cyfarwydd' (yn llythrennol, 'yr un hyddysg'), term a ddengys fod disgwyl iddo feddu ar ystôr o chwedlau a gwybodaeth draddodiadol ('cyfarwyddyd'). Fel y beirdd, byddai'r cyfarwyddiaid yn wŷr proffesiynol ac iddynt statws uchel fel diddanwyr yn y llysoedd. Perthynai eu chwedlau i draddodiad llafar yn unig, ac roedd celfyddyd y storïwr yn gofyn cof gafaelgar a meistrolaeth lwyr dros dechnegau adrodd ac ymadroddion parod er mwyn ail-greu'r chwedlau gyda phob perfformiad. Er i'r arfer o adrodd storïau ar lafar barhau i mewn i'r cyfnod modern, ychydig iawn o'r deunydd canoloesol sydd wedi'i ddiogelu (yn wahanol i'r cyfoeth sydd ar glawr o'r cyfnod cynnar yn Iwerddon), ac mae'r chwedlau sydd i'w cael mewn llawysgrifau yn gyfansoddiadau llenyddol gan awduron a fyddai'n benthyg deunydd crai gan y cyfarwyddiaid ac yn efelychu rhai o'u dulliau trwy gyfrwng y gair ysgrifenedig. Serch hynny, ceir awgrym o helaethrwydd yr hen gyfarwyddyd oddi wrth gyfeiriadau at chwedlau coll, megis y Trioedd (cymeriadau a digwyddiadau wedi'u trefnu'n grwpiau o dri fel cymorth i'r cof), y rhestr o fannau claddu arwyr yn 'Englynion y Beddau', a llawer o gyfeiriadaeth ym marddoniaeth yr Oesoedd Canol.

Y Mabinogion

Fe ymddengys mai ystyr wreiddiol y gair 'mabinogi' oedd chwedl am ieuenctid arwr, ac yna efallai chwedl yn gyffredinol. Gair rhith yw'r ffurf luosog 'mabinogion' mewn gwirionedd, sy'n digwydd unwaith yn unig trwy gamgymeriad copïwr ar ddiwedd y gyntaf o Bedair Cainc y Mabinogi, ond fe'i mabwysiadwyd gan Charlotte Guest yn deitl ar ei chasgliad o gyfieithiadau o'r chwedlau canoloesol (1838–49). Derbynnir 'Mabinogion' bellach yn derm cyfleus ar gyfer y grŵp cyfan o un chwedl ar ddeg, a defnyddir 'Mabinogi' ar gyfer y Pedair Cainc yn unig. Diogelwyd y testunau mewn dau gompendiwm mawr o lenyddiaeth Gymraeg yr Oesoedd Canol, sef Llyfr Gwyn Rhydderch, a ysgrifennwyd tua chanol y bedwaredd ganrif ar ddeg, a Llyfr Coch Hergest, sy'n perthyn i ddiwedd yr un ganrif. Ceir drylliau o gopi cynharach o'r Pedair Cainc yn llawysgrif Peniarth 6 (tua 1225–35). Iaith y testunau yw Cymraeg Canol, iaith lenyddol weddol safonol a fodolai rhwng tua diwedd yr unfed ganrif ar ddeg a'r bedwaredd ar ddeg. Un nodwedd o'r traddodiad llafar a lynodd wrth y chwedlau hyn yw'r ffaith eu bod i gyd yn ddienw.

Pedair Cainc y Mabinogi

Mae'r Mabinogi'n bedair chwedl wahanol a chysylltiadau tenau rhyngddynt. Cloir pob un â'r fformiwla: 'Ac felly y terfyna'r gainc hon o'r Mabinogi.' Y tebyg yw mai 'cangen' yw ystyr cainc, ond nid yw'n glir a fu'r pedair yn gyfanwaith organig yn eu ffurf wreiddiol ai peidio. Yr unig gymeriad a geir ym mhob cainc yw Pryderi, sy'n cael ei eni yn y gyntaf a'i ladd yn yr olaf, ac roedd W. J. Gruffydd o'r farn mai hanes bywyd Pryderi oedd y Mabinogi yn wreiddiol. Ond nid yw cynllun o'r fath yn amlwg yn y chwedlau yn eu ffurf bresennol, ac mae beirniadaeth ddiweddar wedi canolbwyntio'n fwy ar nodweddion y gwaith fel y mae gennym, a'i drin yn gyfansoddiad llenyddol bwriadus. Awgryma'r cysondeb arddull a meddylfryd fod y pedair chwedl yn waith un awdur, a oedd o bosibl yn glerigwr, yn ôl pob tebyg tua diwedd yr unfed ganrif ar ddeg. Diau fod peth o'i ddeunydd yn tarddu o gyfnod cynharach o lawer, a bod rhai o'r cymeriadau'n ffigyrau mytholegol yn wreiddiol, megis y cawr Brân neu Fendigeidfran fab Llŷr, a Lleu, sy'n cyfateb i Lugus, duw'r goleuni ymhlith y Celtiaid (y gwelir ei enw yn y trefi Lyons, Laon a Leyden). Elfen flaenllaw arall yng nghyfansoddiad y chwedlau yw motiffau llên gwerin rhyngwladol fel 'Y wraig a gyhuddwyd ar gam', a welir yn y gainc gyntaf a'r ail, ac 'Y drws na ddylid ei agor', a geir tua diwedd stori Branwen. O ran plot mae'n debyg fod cyfraniad yr awdur yn gyfyngedig i drefnu a rhesymoli'r deunydd a etifeddodd, heb lwyddo'n llwyr bob tro. Fe erys anghysonderau, ond at ei gilydd adroddir y chwedlau yn hynod effeithiol, gydag arddull naratif bwrpasol a chymeriadau byw, gan ddefnyddio deialog yn gynnil i ddatgelu personoliaeth. Prin iawn y mae'r awdur yn ymyrryd yn y chwedlau, ac ni cheir dim moesoli nac athronyddu ynghylch y digwyddiadau rhyfeddol a thrasig. Serch hynny, gellir canfod themâu canolog yn rhedeg trwy'r gwaith, er enghraifft cyfeillgarwch a dialedd, a gellir gweld agwedd gyson tuag at fywyd, un sy'n mawrygu ymddygiad rhesymol a chymedrol. Ymgorfforir yr un delfryd gan yr arddull glir a chytbwys.

Y mae tair rhan i'r gainc gyntaf, pob un yn cynnwys episôd bwysig ym mywyd y prif gymeriad, Pwyll Pendefig Dyfed. Yn y gyntaf mae Pwyll yn newid lle â brenin Annwfn (yr isfyd) am flwyddyn, ac o ganlyniad yn ennill y teitl 'Pen Annwfn'. Yr ail episôd yw ei briodas â Rhiannon, a'r drydedd yw genedigaeth eu mab a'i ddiflaniad rhyfedd. Cosbir Rhiannon am ei ladd, a phan ddychwelir y mab rhoddir yr enw Pryderi iddo oherwydd y pryder a achosodd i'w fam. Mae Pwyll i'w weld yn gymeriad dibynadwy ond araf braidd o'i gymharu â'i wraig graff a dyfeisgar. Er enghraifft, pan ddaw gŵr o'r enw Gwawl i'r wledd briodas a gofyn rhodd, mae Pwyll yn addo'n ddifeddwl roi unrhyw beth o fewn ei allu, a chaiff ei syfrdanu pan ofynna Gwawl am Riannon! Mae sylw crafog Rhiannon yn esiampl hyfryd o'r modd y datgelir cymeriad trwy ddeialog: '"Taw hyd y mynni di", ebe Rhiannon, "ni bu gŵr mwy musgrell ei synnwyr ei hun nag a fuost ti."' Â ati wedyn i ddyfeisio ystryw i helpu Pwyll i'w hennill hi'n ôl.

Yr ail gainc yw'r fwyaf boddhaol o ran adeiladwaith y stori, ac iddi ddilyniant tyn iawn o achos ac effaith. Hon hefyd sy'n debyg o ennyn yr ymateb emosiynol cryfaf gan ei chynulleidfa, yn hanes ffyrnig gydag eiliadau dwys a theimladwy. Ei thema ganolog yw grym difaol cenfigen a dialgarwch. Plant Llŷr yw'r prif gymeriadau, sef y cawr Bendigeidfran, brenin Ynys Prydain, ei chwaer Branwen, a'u hanner brawd Efnisien, gŵr sy'n creu cynnen ym mhob man. Rhoddir Branwen yn wraig i Fatholwch, brenin Iwerddon, yn llys Bendigeidfran yn Harlech, ond digia Efnysien am na ofynnwyd ei gydsyniad ef, ac ymetyb trwy anffurfio meirch Matholwch. Telir iawndal i Fatholwch, a dychwel i Iwerddon gyda'i wraig, ond mae pobl Iwerddon yn mynnu bod Branwen yn cael ei chosbi am y sarhad i'r brenin. Llwydda Branwen i anfon drudwy dros y môr â neges at ei brawd, a daw hwnnw i'w hachub. Mae'r ddwy ochr ar fin cymodi pan ysgoga Efnisien gynnen eto yn syfrdanol o annisgwyl trwy daflu mab bach Branwen i'r tân. Yn y gyflafan sy'n dilyn caiff Iwerddon ei diboblogi bron yn llwyr, a dim ond saith gŵr sy'n goroesi i ddod â phen Bendigeidfran yn ôl i Ynys Prydain, ynghyd â Branwen sy'n marw o dorcalon. Lleddfir poen y saith gan gân hudolus Adar Rhiannon, a chan wledd ddiamser ar Ynys Gwales, hyd nes i'r hud gael ei dorri trwy agor y drws gwaharddedig a bod rhaid iddynt fynd i gladdu'r pen yn y Gwynfryn yn Llundain.

Mae'r drydedd gainc yn ddilyniant i'r ail, ac mae ganddi gysylltiadau â'r gyntaf hefyd. Ei phrif gymeriad yw Manawydan, brawd i Fendigeidfran ac un o'r saith a ddychwelodd o Iwerddon, ynghyd â'i gyfaill Pryderi. Pan brioda Manawydan Riannon, mam weddw Pryderi, caiff ei dynnu i mewn i wead cymhleth o ddial am y driniaeth a gafodd Gwawl yn y gainc gyntaf. Troir Dyfed yn ddiffeithwch gan ddewin, ac â Manawydan a Phryderi i weithio fel crefftwyr yn Lloegr.

Ar ôl iddynt ddychwelyd carcherir Pryderi a Rhiannon mewn caer hud. Llwydda Manawydan i waredu'r hud ar Ddyfed o'r diwedd trwy fygwth crogi llygoden a ddaliodd yn bwyta'i ŷd, sydd mewn gwirionedd yn wraig i'r dewin. Gellir gweld Manawydan yn ymgorfforiad o'r rhinweddau dynol a fawrygir gan yr awdur, yn ŵr doeth, amyneddgar, a hynod ddyfeisgar mewn helbul.

Yr olaf a'r fwyaf cymhleth o'r Pedair Cainc yw hanes teulu Dôn o Wynedd. Trachwant rhywiol yw prif ysgogiad y digwyddiadau yn hon. Mae'n rhaid i'r brenin Math fod â'i draed yng nghôl morwyn bob amser ac eithrio pan fo rhyfel. Syrthia Gilfaethwy fab Dôn mewn cariad â morwyn y brenin, ac er mwyn iddo gael cyfle i'w threisio mae ei frawd, y dewin Gwydion, yn creu rhyfel rhwng Gwynedd a Deheubarth (gan beri marwolaeth Pryderi). Mae angen morwyn newydd ar y brenin wedyn, ac ymgynigia Aranrhod, chwaer Gwydion, ond metha'r prawf morwyndod. Mae'n esgor ar fab, ond yn ei ddiarddel yn syth, a megir y plentyn gan Wydion. Er mwyn rhwystro'i mab rhag dod yn aelod cyflawn o'r gymdeithas a'i chywilyddio, gesyd Aranrhod dynged arno, na chaiff enw nac arfau fyth ond ganddi hi. Trwy'i hud a'i ledrith llwydda Gwydion i dwyllo'i chwaer i alw'r bachgen yn Lleu Llaw Gyffes, ac i roi arfau iddo yn ei llys, Caer Aranrhod ger Dinas Dinlle. Ei melltith olaf ar ei mab yw na chaiff wraig ddynol fyth, ac unwaith eto llwydda Gwydion i'w oresgyn trwy greu gwraig o flodau iddo, a'i galw'n Flodeuwedd. Ond y tro hwn mae canlyniadau'r cymorth hud yn drychinebus, gan fod Blodeuwedd yn godinebu ac yn cynorthwyo'i chariad i ladd Lleu. Adferir Lleu trwy hudoliaeth Gwydion, a chosbir Blodeuwedd trwy'i throi'n dylluan. Gwelir, felly, fod rhan Gwydion yn y chwedl yn un amwys iawn, yn anghyfrifol a dinistriol wrth iddo greu rhyfel i gyflawni trachwant ei frawd, a hefyd wrth greu creadures anfoesol, ac eto'n llesol yn ei ofal dros ei nai.

Mae Pedair Cainc y Mabinogi'n un o drysorau mwyaf yr iaith Gymraeg, yn glasur poblogaidd sy'n apelio at gynulleidfaoedd o bob oedran, gan gynnig rhywbeth gwahanol i bawb. Mae llawer o'r cymeriadau a'r motiffau wedi ysgogi awduron modern yn Gymraeg ac yn Saesneg. Bu'r hud ar Ddyfed yn ddelwedd rymus o'r diffeithwch cymdeithasol yn sgil colli iaith, a defnyddiwyd Adar Rhiannon i gynrychioli grym iachusol celfyddyd. Cofféir arweiniad hunanaberthol Bendigeidfran yn y ddihareb, 'A fo ben bid bont.' Ac yn bennaf oll, mae Blodeuwedd yn dal i fod yn enigma cyfareddol. Hi yw pwnc un o ddramâu mwyaf Saunders Lewis, a drafodir ym mhennod 9, ac yn ddiweddar mae nifer o awduron benywaidd wedi ymuniaethu â'i hargyfwng a'i hysbryd gwrthryfelgar.

Ail Gainc y Mabinogi

Efnysien yn taflu mab Branwen i'r tân

Ac ar hynny fe ddaeth y lluoedd i'r tŷ. Ac fe ddaeth gwŷr Ynys Iwerddon i'r tŷ o'r naill ochr a gwŷr Ynys y Cedyrn o'r ochr arall. A chyn gynted ag yr eisteddasant bu cytundeb rhyngddynt, ac estynnwyd y frenhiniaeth i'r mab.

Ac yna, wedi cyflawni'r heddwch, galwodd Bendigeidfran y mab ato. Oddi wrth Fendigeidfran cyrchodd y mab at Fanawydan ac yr oedd pawb o'r rhai a'i gwelai yn ei garu. Galwodd Nisien fab Euroswydd y bachgen ato oddi wrth Fanawydan. Aeth y mab ato'n gyfeillgar:

"Pam," meddai Efnysien, "na ddaw fy nai fab fy chwaer ataf fi? Er nad yw'n frenin ar Iwerddon, da fyddai gennyf i ddangos cariad at y bachgen."

"Aed yn llawen," meddai Bendigeidfran.

Aeth y mab ato'n llawen.

"I Dduw y dygaf fy nghyffes," meddai yntau'n ei feddwl, "fe wnaf i'n awr gyflafan nad yw pobl y tŷ yn disgwyl imi ei gwneud."

A chododd a chymryd y bachgen gerfydd ei draed, ac ar unwaith, heb i un dyn yn y tŷ gael gafael arno, dyma daflu'r bachgen yn wysg ei ben i'r tân. A phan welodd Branwen ei mab yn llosgi yn y tân fe geisiodd neidio i'r tân, fel petai, o'r lle yr oedd yn eistedd rhwng ei dau frawd. A gafaelodd Bendigeidfran ynddi o'r naill ochr a'i darian yn y llaw arall. Ac yna, ymladdodd pawb drwy'r tŷ. A dyna'r trwst mwyaf a fu gan lu un tŷ, pawb yn cymryd ei arfau . . . A thra aeth pawb am yr arfau fe ddaliodd Bendigeidfran Franwen rhwng ei darian a'i ysgwydd.

(Diweddariad gan Dafydd a Rhiannon Ifans, *Y Mabinogion*)

Chwedlau Arthuraidd

Carreg filltir allweddol yn hanes llenyddiaeth Arthuraidd yw gwaith Sieffre o Fynwy, *Historia Regum Britanniae* (Hanes Brenhinoedd Prydain), tua 1136. Er i Sieffre dynnu ar rai o'r traddodiadau Cymreig am Arthur (a nodwyd ym mhennod 2), cyd-destun Normanaidd oedd i'w ddarlun o'r ymerawdwr yn ei lys sifalrïaidd, a bu'r darlun hwnnw'n sylfaen ar gyfer adeiladwaith anferth y rhamantau Arthuraidd trwy Ewrop gyfan. Rhamantau yw tair o'r chwedlau Cymraeg am Arthur, ond mae *Culhwch ac Olwen* yn gynharach na Sieffre, ac er bod *Breuddwyd Rhonabwy* yn ddiweddarach mae honno hefyd yn perthyn i'r traddodiad brodorol.

Lluniwyd *Culhwch ac Olwen* yn ail hanner yr unfed ganrif ar ddeg, ac felly hon yw'r chwedl Arthuraidd gynharaf mewn unrhyw iaith. Mae swyddogaeth Arthur fel arweinydd llu o filwyr yn ddigon cyfarwydd, ond mae'n ffigwr garwach ac yn chwarae rhan fwy gweithredol nag yn y rhamantau diweddarach. Yn debyg i hanes Lleu yn y Pedair Cainc, gosodir tynged ar Gulhwch gan ei lysfam na all briodi neb ond Olwen, merch y cawr Ysbaddaden. Caiff Culhwch gymorth gan ei gefnder Arthur i gyflawni'r tasgau aruthrol a osodir yn amodau gan ei thad, a dyma ffrâm ar gyfer nifer o straeon annibynnol, fel helfa helbulus y Twrch Trwyth. Mae arddull y chwedl yn flodeuog a gormodieithol mewn mannau, gyda llawer o restri rhethregol, gan arddangos gwedd ar gelfyddyd y storïwr sy'n gwbl groes i gynildeb y Pedair Cainc. Mae'r hanes yn ymylu ar ffars yn aml, a cheir yr argraff weithiau fod yma barodi o'r hen chwedlau arwrol.

Mae *Breuddwyd Rhonabwy* yn dal i fod yn dipyn o ddirgelwch, yn waith dychanol sy'n agored i'w ddehongli mewn mwy nag un ffordd. Gosodir ffrâm y freuddwyd yn nheyrnasiad Madog ap Maredudd o Bowys, a fu farw yn 1160, ond nid yw'n dilyn mai dyna gyfnod cyfansoddi'r chwedl. Gallai fod dipyn yn ddiweddarach, rywbryd yn y drydedd ganrif ar ddeg o bosibl. Mae'r weledigaeth a ddaw i Ronabwy yn ei gwsg wedi'i gosod yn yr oes Arthuraidd chwedlonol, a rhan o fwriad y dychan yw bychanu'r oes bresennol o'i chymharu â'r gorffennol arwrol. Cilwenu a wna Arthur wrth weld 'dynion cyn saled â'r rheini'n gwarchod yr ynys hon ar ôl gwŷr cystal a'i gwarchododd gynt'. Ac eto, nid oes dim byd arwrol yn y darlun o Arthur a'i gyfeillion, ac fe ymddengys fod chwedlau'r oes arwrol hefyd yn darged i'r dychan. Hon yw'r fwyaf ymwybodol lenyddol o'r chwedlau canoloesol, un sy'n gwawdio awdlau astrus y beirdd llys a hyd yn oed o bosibl yn parodïo hanesion annelwig y rhamantau Arthuraidd.

Y tair rhamant

Mae'r tair rhamant Arthuraidd, *Owain* (neu *Iarlles y Ffynnon*), *Geraint ac Enid*, a *Peredur*, yn cyfateb yn lled agos i weithiau gan y bardd Ffrangeg Chrétien de Troyes o'r ddeuddegfed ganrif, *Yvain*, *Erec et Enide*, a *Perceval*. Mae ysgolheigion yn dal i drafod yr union berthynas rhwng y testunau Cymraeg a Ffrangeg, ond mae'n debyg bod y cynseiliau cyffredin yn rhai Cymraeg. Roedd y Normaniaid wedi ymsefydlu yn ne Cymru erbyn ail hanner y ddeuddegfed ganrif, a thrwyddynt hwy y daeth elfennau sifalrïaidd i'r chwedlau Cymraeg. O ran arddull a thechnegau naratif mae'r rhamantau'n ddigon tebyg i'r Pedair Cainc, ond mae'r ffocws ar gymeriad y marchog crwydrad yn rhoi naws wahanol iawn iddynt. Dengys yr awduron Cymraeg lawer llai o ddiddordeb yn theori sifalri na Chrétien, ac mae'n amlwg mai'r stori gyffrous yw'r peth pwysicaf iddynt, ond serch hynny mae twf moesol yr arwr yn hanfodol i adeiladwaith y chwedlau.

Mae *Peredur* yn ymwneud ag addysg sifalrïaidd bachgen o dras fonheddig a gadwyd rhag bywyd y marchog gan ei fam er ei ddiogelwch ei hun, ar ôl i'w dad a'i frodyr gael eu lladd. Proses o amlygu'i natur gynhenid yw hon yn y bôn, gan ddechrau wrth iddo gyrraedd llys Arthur, lle mae'n dysgu defnyddio'i rym i amddiffyn y gwan, a chan ddod i uchafbwynt yn ei brofiad o serch fel cymhelliad dyfnaf ei gampau milwrol. Mae adeiladwaith y chwedl yn wasgarog, ac yn ddryslyd tua'r diwedd, gan gynnwys ymdriniaeth arwynebol â thema'r Greal Sanctaidd, ond ei chryfder mawr yw'r portread byw o'r arwr ifanc.

Yr un thema ganolog a welir yn y ddwy ramant arall, *Owain* a *Geraint ac Enid*, sef problem y berthynas anesmwyth rhwng serch a gwrhydri yn nelfryd y marchog, ond bod y ddau arwr yn mynd i eithafion gwahanol. Ar ôl i Owain ladd Iarll y Ffynnon mae'n syrthio mewn cariad â'i weddw ac yn ei phriodi, ond wedyn mae'n ei hesgeuluso trwy ddychwelyd i lys Arthur. Ar y llaw arall, mae cariad Geraint tuag at ei wraig ifanc Enid yn peri iddo esgeuluso'i ddyletswyddau fel marchog. Yn y ddau achos adferir cydbwysedd delfrydol trwy gyfnod o benyd a chaledi gwirfoddol. Mae *Owain* yn enwedig yn gampwaith llenyddol gydag arddull loyw, cymeriadu cynnil, a strwythur naratif cywrain sy'n adlewyrchu'r gwrthdaro thematig.

Chwedlau ffug-hanesyddol

O'r ddwy chwedl sy'n ymwneud â thraddodiadau am hanes cynnar Prydain, y fyrraf a'r symlaf yw *Cyfranc Lludd a Llefelys*, y ceir fersiwn cynnar ohoni yn rhan o gyfieithiad Cymraeg o *Historia Regum Britanniae* Sieffre o Fynwy a wnaed tua 1200. Yn ôl Sieffre, roedd Lludd yn frenin Prydain ychydig cyn goresgyniad Julius Cesar, ac yn y stori hon caiff gymorth ei frawd Llefelys, brenin Ffrainc, i wrthsefyll tair gormes oruwchnaturiol (adlais mythig o hanes amddiffyn yr ynys rhag ymosodwyr estron). Mae *Breuddwyd Macsen Wledig* yn

Owain

Owain yn gweld Iarlles y Ffynnon yn galaru am ei gŵr

A chododd Owain a gwisgo amdano ac agor ffenestr ar y llofft ac edrych tua'r gaer. Ac ni welai nac ymyl na therfyn i'r lluoedd yn llenwi'r heolydd, a'r rheini'n gwbl arfog a gwragedd lawer gyda hwy ar feirch ac ar droed a chrefyddwyr y ddinas oll yn canu. Ac fe debygai Owain fod yr awyr yn crynu gan faint y gweiddi a'r utgyrn a'r crefyddwyr yn canu.

Ac yng nghanol y llu hwnnw fe welai'r elor, a llen o liain main gwyn arni a chanhwyllau niferus yn llosgi o'i chylch. Ac nid oedd undyn yn cario'r elor yn llai na barwn tiriog. Ac yr oedd yn sicr gan Owain na welsai erioed osgordd gyn hardded â honno mewn sidanwe a serig a syndal. Ac yn dilyn y llu hwnnw fe welai ef wraig benfelen a'i gwallt dros ei dwy ysgwydd, ac â gwaed briwiau niferus ym môn ei gwallt, a gwisg sidanwe felen amdani wedi ei rhwygo a dwy esgid o ledr Cordofa brith am ei thraed. Ac yr oedd yn rhyfedd na fuasai pennau ei bysedd yn friwedig gan mor ddygn y rhwbiai ei dwylo ynghyd. Ac yr oedd yn amlwg gan Owain na welsai ef erioed wraig mor brydferth â hi petai ar ei ffurf iawn. Ac uwch oedd ei llefain na'r holl bobl a chyrn yn y llu. A phan welodd ef y wraig fe'i taniwyd o gariad ati hyd onid oedd pob rhan ohono'n llawn.

A gofynnodd Owain i'r forwyn pwy oedd y wraig.

"Duw a ŵyr," ebe'r forwyn, "gwraig y gellir dweud amdani ei bod yn decaf o'r gwragedd a'r fwyaf diwair a'r haelaf a'r ddoethaf a'r fwyaf bonheddig. Fy arglwyddes i yw hon acw ac Iarlles y Ffynnon y'i gelwir, gwraig y gŵr a leddaist ti ddoe."

"Duw a ŵyr amdanaf," meddai Owain, "mai hi yw'r wraig a garaf i fwyaf."

"Duw a ŵyr," meddai'r forwyn, "na châr hi mohonot nac ychydig na dim!"

(Diweddariad gan Dafydd a Rhiannon Ifans, *Y Mabinogion*)

chwedl lawer mwy boddhaol, yn perthyn i'r ddeuddegfed ganrif yn ôl pob tebyg, lle y cyfunir traddodiadau ffug-hanesyddol â motiffau llên gwerin. Seilir yr arwr ar y Magnus Maximus hanesyddol a gyhoeddwyd yn ymerawdwr Rhufain gan ei filwyr ei hun ym Mhrydain yn OC 383. Yn y chwedl mae Macsen yn ymerawdwr eisoes pan ddaw o Rufain i Brydain i chwilio am y ferch brydferth a welodd mewn breuddwyd, yr Elen Luyddog chwedlonol, ac mae'n rhaid iddo ddychwelyd i Rufain i adennill ei orsedd a drawsfeddiannwyd yn ei absenoldeb. Ceir esboniad ffug am yr ymfudo o Brydain i Lydaw wrth i Facsen roi tir yno i frawd Elen, Cynan Meiriadog.

Cyfieithiadau

Erbyn yr Oesoedd Canol diweddar roedd y traddodiad rhyddiaith brodorol wedi dechrau dihoeni. Cyfieithiadau o chwedlau Ewropeaidd poblogaidd, yn enwedig o'r Ffrangeg, oedd y mwyafrif o'r gweithiau a gomisiynwyd gan foneddigion Cymru o ddiwedd y drydedd ganrif ar ddeg ymlaen. Fel yr oedd yn arferol yn yr Oesoedd Canol, addasiadau rhydd yn ôl confensiynau llenyddol brodorol yw'r cyfieithiadau, gan ddefnyddio dulliau naratif y chwedlau Cymraeg. Cafwyd ychwanegiad at y rhamantau Arthuraidd gyda chyfieithu dau destun Ffrangeg yn adrodd hanes yr ymchwil am y Greal dan y teitl *Ystoryaeu y Seint Greal*. Chwedl am gampau milwrol llai ysbrydol yw rhamant Bown o Hamtwn, a gyfieithwyd o gerdd Eingl-Normanaidd goll. Gweithiau mwyaf poblogaidd y cyfnod oedd y *chansons de geste* am Charlemagne a'i farchogion, lle y gwelid delfryd milwrol mwy cyntefig a gydweddai'n dda â'r traddodiad arwrol Cymraeg. Cyfieithwyd nifer o wahanol chwedlau i'r Gymraeg yn rhan olaf y drydedd ganrif ar ddeg a dechrau'r bedwaredd ar ddeg i ffurfio'r cylch *Ystorya de Carolo Magno*.

Rhyddiaith ymarferol

Nid oedd gwahanfur pendant rhwng ysgrifennu creadigol ac ymarferol yn yr Oesoedd Canol, ac felly er mwyn gwerthfawrogi holl rychwant rhyddiaith Gymraeg Canol mae'n rhaid ystyried sawl math arall o lên. Defnyddiwyd rhyddiaith mewn amryw feysydd, megis hanes, y gyfraith, daearyddiaeth, meddygaeth, bucheddau'r saint, a diwinyddiaeth. Cyfieithiadau o destunau Lladin oedd y mwyafrif o'r rhain, gydag ychydig o'r Ffrangeg a'r Saesneg. Goroesodd nifer o gasgliadau o ryddiaith grefyddol, a'r pwysicaf ohonynt yw Llyfr Ancr Llanddewibrefi o 1346, llawysgrif sy'n cynnwys y testunau elfennol a oedd angen ar yr offeiriad i ddysgu'i blwyfolion yn y Gymraeg, bucheddau Dewi a Beuno Sant, cyfieithiad o destun diwinyddol poblogaidd, yr *Elucidarium*, a gwaith cyfriniol gwreiddiol yn dwyn y teitl *Ymborth yr Enaid*. Roedd ysgrifennu hanesyddol yn allweddol

Darlun o was a morwyn yr ystafell o'r Cyfreithiau yn Llsgr. Peniarth 28.

bwysig i hunaniaeth y Cymry, gan honni tarddiad clasurol y genedl oddi wrth Frutus o Gaerdroia, a hefyd ei hawl sofran dros holl Ynys Prydain. Cysylltwyd tri thestun gwahanol â'i gilydd i greu hanes cenedlaethol cyflawn, gyda'r fersiwn Cymraeg o lyfr Sieffre o Fynwy, *Brut y Brenhinedd*, fel canolbwynt yn darlunio oes aur y Brythoniaid, wedi'i ragflaenu gan gyfieithiad o'r Lladin yn adrodd hanes rhyfel Caerdroia, a'i barhau hyd at ddiwedd oes y tywysogion annibynnol yn y drydedd ganrif ar ddeg gan *Brut y Tywysogion*.

Y math hynaf a phwysicaf o ryddiaith Gymraeg oedd y testunau cyfraith a gysylltir ag enw Hywel Dda, brenin o'r ddegfed ganrif a oedd yn gyfrifol am osod trefn newydd ar gyfraith y wlad yn ôl traddodiad. Goroesodd rhyw ddeugain o lawysgrifau cyfreithiol, wedi'u llunio ar gyfer cyfreithwyr proffesiynol o'r ddeuddegfed ganrif ymlaen. Roedd perthynas agos rhwng y gyfraith a llenyddiaeth yng Nghymru'r

Buchedd Ddewi

Neges Olaf Dewi

Duw Sul y canawdd Dewi offeren, ac y pregethawdd i'r bobl. A'i gyfryw cyn nog ef ni chlywspwyd, a gwedi ef byth ni chlywir. Nis gweles dyn erioed y sawl dynion yn un lle. A gwedi darfod y bregeth a'r offeren, y rhoddes Dewi yn gyffredin ei fendith i bawb o'r a oedd yna. A gwedi darfod iddaw roddi ei fendith i bawb, y dywawd yr ymadrawdd hwn, 'Arglwyddi, frodyr a chwiorydd, byddwch lawen a chedwch eich ffydd a'ch cred, a gwnewch y pethau bychain a glywsawch ac a welsawch y gennyf i. A minnau a gerddaf y ffordd ydd aeth ein tadau ni iddi, ac yn iach iwch,' heb y Dewi. 'A phoed grymus iwch fod ar y ddaear, a byth bellach nid ymwelwn ni.'

(Diweddarwyd orgraff y darn)

Oesoedd Canol, ac yn aml iawn gall y darlun o'r gymdeithas a geir yn y cyfreithiau daflu goleuni gwerthfawr ar chwedlau a barddoniaeth y cyfnod. Roedd y mynegiant gloyw a chyfewin a gafwyd yn y llyfrau cyfraith yn uchafbwynt traddodiad hir o ysgrifennu cyfreithiol yn y Gymraeg, a diau iddo osod sylfaen ar gyfer rhagoriaethau arddull y Mabinogion.

4 *Barddoniaeth yr Oesoedd Canol*

Beirdd y Tywysogion

Fe ymddengys fod adfywiad wedi digwydd yn nhraddodiad y canu mawl tua dechrau'r ddeuddegfed ganrif, ond mae'n debyg mai camargraff yw hyn i raddau, am mai ychydig iawn o gerddi o'r cyfnod blaenorol sydd wedi goroesi mewn llawysgrifau, fel y gwelwyd. Prif ffynhonnell barddoniaeth y ddeuddegfed ganrif a'r drydedd ar ddeg yw Llawysgrif Hendregadredd, casgliad a luniwyd tua 1300–25, ym mynachlog Ystrad-fflur yn ôl pob tebyg, fel blodeugerdd o ganu llys yr oes a oedd newydd ddod i ben. Y llawysgrif honno a greodd y syniad sydd gennym am farddoniaeth Oes y Tywysogion, a phe bai casgliad cyffelyb o ganu mawl yr unfed ganrif ar ddeg wedi goroesi gallai'r darlun o'r traddodiad barddol fod yn bur wahanol. Serch hynny, fe ddichon fod y llewyrch a fu ar farddoniaeth Gymraeg yn wedd ar y blodeuo diwylliannol a welwyd yn llysoedd Ewrop yn gyffredinol yn ystod y ddeuddegfed ganrif. Ffactor arall a allai fod yn gyfrifol am yr egni a'r hyder a deimlir ym marddoniaeth y cyfnod yw llwyddiannau milwrol y Cymry yn erbyn y Normaniaid tua chanol y ganrif, dan arweiniad tywysogion y tair prif dalaith, Madog ap Maredudd o Bowys, Owain Gwynedd, ac wedyn yr Arglwydd Rhys o Ddeheubarth.

Enw a ddefnyddir weithiau wrth gyfeirio at feirdd y cyfnod hwn yw y Gogynfeirdd, mewn cyferbyniad â'r Cynfeirdd, ond fe all hwnnw gynnwys y rhai a barhaodd i ganu yn yr un dull am ryw ganrif ar ôl Oes y Tywysogion. Mwy ystyrlon yw'r term Beirdd y Tywysogion, gan ei fod yn cyfleu eu statws uchel yn llysoedd y taleithiau annibynnol. Beirdd proffesiynol hyfforddedig oedd y mwyafrif o'r rhain, yn aelodau o gyfundrefn glòs a'u hawliau a'u cyfrifoldebau wedi'u diffinio gan y gyfraith. Y pencerdd oedd y radd uchaf, ac roedd cadair arbennig iddo yn y llys brenhinol (cynsail y gadair eisteddfodol). Disgwylid iddo ganu dwy gân pan berfformiai yn y llys, y naill i Dduw a'r llall i'r brenin. Roedd y bardd teulu yn un o bedwar swyddog ar hugain y llys, ac ymhlith ei ddyletswyddau roedd canu i'r osgordd filwrol (y 'teulu') cyn iddynt fynd ar gyrch, a hefyd ganu i'r frenhines yn ei hystafell. Y radd isaf o feirdd oedd y cerddorion (Lladin *ioculatores*). Anodd dweud i ba raddau yr adlewyrchai'r trefniant hwn arferion gwirioneddol beirdd y ddeuddegfed ganrif. Awgryma tystiolaeth y farddoniaeth fod modd i'r un bardd gyflawni swyddogaethau'r pencerdd a'r bardd teulu fel ei gilydd. Serch hynny, mae'r gwahaniaeth rhwng y ddwy radd yn werthfawr yn yr ystyr ei fod yn crisialu dwy wedd ar swyddogaeth y bardd, sef darparu mawl ffurfiol ar y naill law a diddanwch ysgafnach ar y llall.

O ran delfrydau a gwerthoedd arwrol dilynai'r canu mawl draddodiad Taliesin, ond roedd hefyd yn ganu cyfoes iawn, gyda sylw i frwydrau'r tywysogion ac ymwybyddiaeth o'u polisïau gwleidyddol. Erbyn hyn roedd arddull y farddoniaeth yn gywrain ac astrus dros ben, â llawer o ieithwedd farddol hynafol. Trwy gystrawennu ystwyth a chyfosod ymadroddion disgrifiadol lluniai'r bardd adeiladwaith rhethregol mawreddog. Gosodid pwys mawr ar sŵn y gerdd, gan gywreinio a graddol ffurfioli'r defnydd o gyflythrennu ac odlau mewnol a welir yn yr hengerdd. Byddai'r cerddi'n cael eu datgan i gyfeiliant y delyn yn rhan o seremoni'r wledd yn y llys. Prif ffurf y beirdd oedd yr awdl, sef yn wreiddiol rhes o linellau ar yr un odl (yr un gair yw awdl ac odl yn y bôn). Yn nwylo'r Gogynfeirdd datblygodd yr awdl yn gyfres o ganiadau ar wahanol odlau a mesurau. (Yn ddiweddarach trefnwyd mesurau'r awdl yn bedwar ar hugain, trefniant sydd wedi parhau hyd heddiw.) Yn ogystal â'r awdl, defnyddiai'r beirdd gadwynau o englynion pedair llinell, ac er bod lle i gredu bod yr englyn yn nodweddu gwaith y bardd teulu yn wreiddiol, mae rhai o gyfansoddiadau pwysicaf y penceirddiaid ar y mesur hwnnw.

Mae'r farddoniaeth llys sydd wedi goroesi o gyfnod y tywysogion yn waith rhyw ddeg ar hugain o feirdd, ond un neu ddwy o gerddi sydd wrth enw rhai ohonynt, ac mae tua hanner y cerddi gan ddau fardd mawr, sef Cynddelw Brydydd Mawr o Bowys a Llywarch ap Llywelyn, bardd llys Llywelyn Fawr o Wynedd. Y cynharaf o Feirdd y Tywysogion yw Meilyr Brydydd, a ganodd farwnad i Ruffudd ap Cynan o Wynedd yn 1137, ac mae ei fab Gwalchmai a'i wyrion Einion, Meilyr ac Elidir Sais yn esiampl dda o deulu barddol yn ymestyn dros ganrif gyfan. Ar y llaw arall, roedd yn bosibl i feirdd amatur ymhél â'r grefft o ran mwynhad. Mae Hywel ab Owain Gwynedd yn esiampl nodedig o fardd-dywysog, ac fe briodolir dwy gerdd i Owain Cyfeiliog, gan gynnwys yr 'Hirlas', cerdd drawiadol sy'n dathlu ymgyrch lwyddiannus yn 1155 trwy adleisio'r *Gododdin*.

Cynddelw Brydydd Mawr

Fe ddichon fod cyfenw Cynddelw yn cyfeirio'n wreiddiol at ei faintioli corfforol, ond buan y daeth i gyfleu ei ragoriaeth ymhlith beirdd ei oes. Goroesodd yn agos i bedair mil o linellau ganddo, ac yn ei waith ef y gwelir orau holl rychwant canu llys y cyfnod. Brodor o Bowys

Cynddelw

Rhan o 'Arwyrain Madog ap Maredudd'

Arddwyreaf naf o naw rhan – fy ngherdd,
O naw rhif angerdd, o naw rhyw fan,
I foli gwron gwryd Ogrfan,
Gorun morgymlawdd a'i goglawdd glan.
Pargoch glyw glewdraws, maws mab Cadfan,
Pell yd wledych ŵr wledig arnan.
Perging cyniwair, pair pedrydan,
Pedrydawg Fadawg, farchawg midlan:
Fy marddlef is nef nid anghyfan,
Fy marddair i'th barth nid gwarth, nid gwan.
Taer am aer, am gaer, am gain walchlan,
Tew am lew trylew, traul ariancan,
Tarf am gelennig torf am Galan,
Twrf ton ffraeth am draeth am draed gwylan.

[Clodforaf arglwydd â naw rhan fy nghelfyddyd,/Â naw rhif ysbrydoliaeth, â naw math ar ganu,/I foli gŵr dewr o wrhydri Ogrfan,/[Un â] dwndwr llifeiriant y môr sy'n tyllu glan./[Un] coch [ei] waywffon mewn byddin ddewr a chadarn, hardd yw mab Cadfan,/Yn faith y teyrnasa pennaeth gŵr drosom. Arglwydd yr ymgyrchu, pennaeth perffaith,/Madog nerthol, marchog ar faes y gad:/Nid yw fy marddoniaeth yn anghyflawn is y nef,/Nid yw fy ngherdd nac yn gywilydd nac yn ddirym wrth dy ochr./Yn daer am ryfel, am [ennill] caer, am [ennill] maes brwydro ysblennydd,/Yn drwchus o gwmpas llew glew iawn, rhannwr arian disglair,/[Yn] gyffro am galennig y mae'r dorf [o'i gwmpas] ar adeg Calan,/[Megis] cynnwrf ton fyrlymus ar draeth o gwmpas traed gwylan.]

oedd Cynddelw, a dechreuodd ei yrfa tua diwedd teyrnasiad Madog ap Maredudd. Ar ôl marwolaeth Madog yn 1160 bu'n gwasanaethu tywysogion talaith ranedig Powys, ond cafodd groeso hefyd yn llysoedd Owain Gwynedd a'r Arglwydd Rhys o Ddeheubarth. Mae'i waith yn cynnwys holl bynciau a mathau barddoniaeth Gymraeg yr Oesoedd Canol, a hynny mewn tri phrif faes, sef crefydd, mawl a serch. Cerddi moliant a marwnadau yw crynswth ei waith, wrth gwrs, ond canodd hefyd gerddi'n gofyn cymod ('dadolwch'), rhai'n diolch am roddion, ac un yn datgan hawliau uchelwyr Powys. Un o'i gerddi mwyaf teimladwy yw ei farwnad i'w fab ei hun, Dygynnelw, yr esiampl gynharaf o fath o gerdd sydd yn weddol gyffredin yng Nghymru yn yr Oesoedd Canol diweddar. Ymhlith ei gerddi crefyddol y mae dwy awdl i Dduw, sydd efallai'n adlewyrchu dyletswydd y pencerdd i ganu i Dduw yn gyntaf, un i Dysilio Sant yn mawrygu ei eglwys ym Meifod ym Mhowys, ac awdl gyffes ar ei wely angau ('marwysgafn'). Mae un o'i ddwy gerdd serch yn annerch merch ddienw, a cheir ynddi'r cyfeiriad cynharaf yn y Gymraeg at y Gŵr Eiddig, sy'n awgrymu bod y bardd yn gyfarwydd â chonfensiynau llenyddiaeth serch Ewrop. Yn y llall, 'Rhieingerdd Efa', mae'r bardd yn cymryd arno ei fod yn dioddef o serch at dywysoges, un o ferched Madog ap Maredudd, ac yn anfon march i ymbil am ei ffafr. Diau mai fel mawl soffistigedig y bwriedid honno, a gellid meddwl ei bod yn adlewyrchu ffasiwn y serch llysaidd a ddaeth i'r amlwg yng ngwaith trwbadwriaid Profens yn y ddeuddegfed ganrif. Ond prin bod dylanwad y trwbadwriaid wedi treiddio i Gymru mor gynnar â hyn, ac mae'n debycach fod amgylchiadau cyffelyb mewn sawl gwlad wedi ysgogi ymagweddu addolgar gan y beirdd tuag at noddwragedd bonheddig. Trwy holl waith Cynddelw ymdeimlir â grym ei bersonoliaeth falch yn ymhyfrydu yn ei feistrolaeth lwyr dros ei grefft a'i iaith.

Hywel ab Owain Gwynedd

Roedd Hywel yn fab anghyfreithlon i frenin Gwynedd, a'i fam yn Wyddeles. Ceir sôn amdano fel milwr o'r 1140au ymlaen, a chafodd ei ladd mewn brwydr yn erbyn ei hanner-brodyr ar ôl marwolaeth ei dad yn 1170. Ei gerddi ef yw'r canu serch cynharaf yn y Gymraeg, ond mae lle i gredu eu bod yn perthyn i draddodiad brodorol coll. Mae pump o'i gerddi'n delynegion byrion i ferched bonheddig dienw, ac un arall yn gerdd ymffrost â'r teitl 'Gorhoffedd', math o gerdd a geir gan ei gyfoeswr Gwalchmai ap Meilyr hefyd. Cerdd ac iddi ddwy ran yw 'Gorhoffedd' Hywel, y gyntaf yn ymhyfrydu yn ei gampau milwrol ac yn mynegi hiraeth am ei fro gynefin ym Meirionnydd, a'r ail yn ymffrostio yn ei gariadon, gan enwi naw ohonynt. Ceir yr un naws yn ei gerddi serch, a thrwy'r cwbl fe ymdeimlir ag egni gwrywaidd byrlymus a chwant anniwall. Cyfansoddwyd cerddi Hywel fel diddanwch soffistigedig ar gyfer cynulleidfa'r llys, ac maent yn debyg iawn i waith ei gyfoeswyr ym Mhrofens megis Bertran de Born.

Hywel ab Owain Gwynedd

'Awdl i Ferch'

Fy newis-i rhiain firain, feindeg,
Hirwen yn ei llen lliw ehöeg;[1]
A'm dewis synnwyr syniaw ar wreigiaidd
Ban ddywaid o fraidd weddaidd wofeg;[2]
A'm dewis gydran, gyhydreg – â bun,
A bod yn gyfrin am rin, am reg.
Dewis yw gennyf-i harddliw gwaneg,
Doeth i'th gyfoeth[4] dy goeth Gymräeg.
Dewis gennyf-i di; beth yw gennyt-ti fi?
Beth a dewi di, deg ei gosteg?
Dewisais-i fun fal nad atreg[5] – gennyf;
Iawn yw dewisaw dewisdyn deg.

[1]porffor [2]ymadrodd [3]cyfeillachu [4]yn dy diriogaeth [5]edifar

Beirdd llys Gwynedd

Gwynedd oedd y gryfaf o'r tair prif dalaith, a'i theulu brenhinol hi sydd amlycaf yn y canu mawl. Sefydlwyd cryfder Gwynedd o'r newydd gan Ruffudd ap Cynan tua diwedd yr unfed ganrif ar ddeg, ac yn ystod ei deyrnasiad ef y daeth yr adfywiad i'r amlwg yng ngwaith Meilyr Brydydd. Fel y gwelwyd eisoes, roedd llewyrch mawr ar gerdd dafod yn llys ei fab, Owain Gwynedd, ond daeth grym Gwynedd i uchafbwynt yn amser ŵyr Owain, Llywelyn Fawr, o'r 1190au tan 1240. Roedd tywysog mawr yn haeddu pencerdd mawr, ac fe'i cafodd yn Llywarch ap Llywelyn, neu 'Prydydd y Moch', a ddathlodd lwyddiannau Llywelyn Fawr mewn cyfres o awdlau mawreddog. Mae barddoniaeth llys Gwynedd yn y drydedd ganrif ar ddeg yn llai afieithus nag yn y ganrif flaenorol, ond mae'r ysbryd dwysach yn adlewyrchu dealltwriaeth wleidyddol aeddfed, yn enwedig yng ngwaith Llygad Gŵr, bardd a gefnogodd uchelgais Llywelyn ap Gruffudd i uno Cymru dan ei arweiniad wedi 1267. Bu lladd Llywelyn gan y Saeson yn 1282 yn ddiwedd ar annibyniaeth wleidyddol i Gymru, ac fe fynegwyd arwyddocâd tyngedfennol y digwyddiad mewn marwnadau iddo gan ddau o feirdd Gwynedd, y naill gan Fleddyn Fardd yn cyfleu'r drasiedi ddynol â chynildeb dwys, a'r llall yn weledigaeth ysgubol o drychineb cosmig gan Ruffudd ab yr Ynad

Gruffudd ab yr Ynad Coch

Darn o 'Marwnad Llywelyn ap Gruffudd'

Poni welwch chwi hynt y gwynt a'r glaw?
Poni welwch chwi'r deri yn ymdaraw?
Poni welwch chwi'r môr yn merwinaw–'r tir?
Poni welwch chwi'r Gwir yn ymgyweiraw?[1]
Poni welwch chwi'r haul yn hwylaw–'r awyr?
Poni welwch chwi'r sêr wedi r'syrthiaw?
Pani chredwch chwi i Dduw, ddyniaddon ynfyd?
Pani welwch chwi'r byd wedi r'bydiaw?[2]
Och hyd atat Ti, Dduw, na ddaw – môr tros dir!
Pa beth y'n gedir i ohiriaw?
Nid oes le y cyrcher rhag carchar braw,
Nid oes le y trigier: och o'r trigiaw!
Nid oes na chyngor na chlo nac egor,
Unffordd i esgor brwyn[3] gyngor braw.

[1]y Farn yn ymbaratoi [2]wedi mynd i berygl [3]trist

Coch. Honno'n ddiau yw marwnad rymusaf yr iaith Gymraeg, ac mae'n hynod addas ei bod yn dynodi diwedd cyfnod.

Beirdd yr Uchelwyr

Yn sgil colli nawdd y tywysogion annibynnol roedd hi'n argyfwng ar gyfundrefn y beirdd. Cafwyd rhyw elfen o barhad oherwydd nawdd yr Eglwys. Roedd eglwysi a mynachlogydd megis Ystrad Fflur wedi bod yn ganolfannau diwylliannol pwysig ers tro byd, ac fe barhaodd eu cefnogaeth i'r beirdd tan ddiwedd yr Oesoedd Canol. Ond yr uchelwyr a lanwodd y bwlch a adawyd ar ôl y tywysogion, gan gynnal y gyfundrefn farddol am dros dair canrif arall. Tirfeddianwyr oedd yr uchelwyr, a chawsant gyfle i ffynnu dan y drefn newydd trwy ddal swyddi mewn llywodraeth leol a chrynhoi ystadau. Roedd eu teyrngarwch gwleidyddol yn ddeublyg, ond mae'n amlwg fod noddi barddoniaeth yn wedd bwysig ar eu hunaniaeth, a bu nifer ohonynt yn ymhél â'r grefft eu hunain. Y ffaith fod cynifer o'r noddwyr yn ymddiddori'n ddeallus yn y gelfyddyd yw un o'r rhesymau pennaf dros y ffyniant rhyfeddol a welwyd mewn barddoniaeth Gymraeg yn yr Oesoedd Canol diweddar.

Oherwydd y newid yn safle cymdeithasol eu noddwyr bu'n rhaid i'r beirdd newid eu ffordd o fyw. Nid oedd modd iddynt gael eu cynnal yn barhaol mewn un llys bellach, a dechreuasant deithio ar hyd y wlad ar gylchoedd clera, gan ymweld â thai'r uchelwyr adeg y gwyliau crefyddol yn enwedig, ac ar achlysuron nodedig megis priodasau ac angladdau. Wrth glera fel hyn ymdebygai'r beirdd i finstreliaid crwydrol, math o ddiddanwyr iselradd a adwaenid yn Gymraeg fel 'y glêr'. Roedd dirmyg y beirdd tuag at y glêr yn ddeifiol, ac roedd eu hyfforddiant proffesiynol a rhin eu mawl traddodiadol yn ddigon i warchod y gwahanfur rhyngddynt. Ond eto i gyd fe fu dylanwad llesol o du'r glêr, ar farddoniaeth y bedwaredd ganrif ar ddeg yn enwedig, sydd i'w weld yn yr elfen o ysgafnder a diddanwch ac efallai hefyd yn y parodrwydd i dderbyn dulliau newydd o lenyddiaeth Ewrop. Dyma yn ddiau reswm arall dros yr egni creadigol sydd i'w deimlo ym marddoniaeth y cyfnod.

Un ymateb i'r sefyllfa newydd a wynebai'r beirdd yn y bedwaredd ganrif ar ddeg oedd Gramadegau'r Penceirddiaid, llawlyfrau ar y ddysg farddol a gysylltir ag enwau dau ŵr eglwysig, Einion Offeiriad o Geredigion a Dafydd Ddu o Hiraddug yn sir y Fflint. Ymgais oedd y rhain i osod trefn newydd ar farddoniaeth Gymraeg a sicrhau seiliau moesol y gelfyddyd, ond ychydig iawn o ddylanwad a gafodd y Gramadegau ar arferion y beirdd. Y datblygiad pwysicaf o ran ffurf oedd mesur y cywydd, a fu'n gyfrwng ar gyfer math newydd o ganu. Roedd y cywydd yn symlach na hen fesurau'r awdl, gyda chwpledi o linellau saith sillaf. Gan fod yr odl yn newid bob cwpled, roedd y mesur yn ysgafnach ac yn fwy hyblyg na'r awdlau unodl, ac yn addas iawn ar gyfer disgrifio neu adrodd stori ddifyr. Fe ddichon mai un o fesurau'r glêr oedd y cywydd yn wreiddiol, ond fe'i cywreiniwyd trwy drefnu'r odlau'n acennog a diacen am yn ail, ac ychwanegu cynghanedd yn addurn angenrheidiol. Parhaodd y beirdd i ddefnyddio'r awdl tan ddiwedd yr Oesoedd Canol, ond erbyn y bymthegfed ganrif y cywydd oedd y mesur arferol ar gyfer pob math o ganu, ac felly arferir cyfeirio at feirdd y cyfnod fel Cywyddwyr.

Cynghanedd

Ystyr lythrennol y gair *cynghanedd* yw 'cytgord', a dyma'r enw ar y system gymhleth o gyfatebiaethau seiniol sy'n addurno'r canu caeth. Mae'r gynghanedd yn unigryw i farddoniaeth Gymraeg, ac erys yn gelfyddyd boblogaidd hyd heddiw. Daeth i fod yn raddol dros y canrifoedd trwy'r defnydd o gyflythrennu ac odlau o fewn y llinell, ac ni ddaeth yn gyfundrefn ffurfiol gyda rheolau pendant tan y bedwaredd ganrif ar ddeg. Nid oes modd egluro'i holl gymhlethdodau'n llawn yma, ond fe welir yr egwyddorion sylfaenol o graffu ar yr esiampl hon o'r bymthegfed ganrif, darn o gywydd marwnad Lewys Glyn Cothi i'w fab Siôn:

Afal pêr ac aderyn
A garai'r gwas, a gro gwyn;
Bwa o flaen y ddraenen,
4 Cleddau digon brau o bren.
Ofni'r bib, ofni'r bwbach,
Ymbil â'i fam am bêl fach.
Canu i bawb acen o'i ben,
8 Canu 'ŵo' er cneuen.
Gwneuthur moethau, gwenieithio,
Sorri wrthyf fi wnâi fo,
A chymod er ysglodyn
12 Ac er dis a garai'r dyn.

Ceir pedwar prif fath o gynghanedd. Y symlaf yw'r gynghanedd lusg, lle mae sillaf olaf ond un gair olaf y llinell yn odli â gair yn gynharach yn y llinell. Gwelir esiamplau yn llinellau 1, 3 ac 11 uchod, â'r sillafau perthnasol wedi'u tanlinellu. Mae cyfatebiaeth rhwng cytseiniaid yn hanfodol mewn dwy gynghanedd, sef y draws a'r groes. Yn y draws mae'r un dilyniant o gytseiniaid ar ddechrau ac ar ddiwedd y llinell, a darn yn y canol sydd heb fod yn rhan o'r gyfatebiaeth. Gwelir esiampl yn llinell 9, lle mae'r sillafau sydd dan yr acen yn y ddwy ran wedi'u tanlinellu, yn cynnwys y dilyniant *g-n* o flaen yr acen a *th* o dan yr acen. Ceir un arall yn llinell 8, lle mae absenoldeb cytsain ar ddiwedd y sillaf dan yr acen yn rhan o'r gyfatebiaeth. Yn y gynghanedd groes mae dau hanner y llinell yn cyfateb yn llawn. Gwelir esiampl yn llinell 5, ac eraill yn llinellau 2, 6, 7 a 12 (sylwer na fydd y ddau air dan yr acen yn y llinell fyth yn gorffen â'r un gytsain). Mae'r gynghanedd sain yn gyfuniad o odl a chyfatebiaeth gytseiniol. Rhennir y llinell yn dair rhan, y gyntaf a'r ail wedi'u cysylltu trwy odl a'r ail a'r drydedd trwy gyflythreniad, fel y gwelir yn llinellau 4 a 10.

Gall y gynghanedd ymddangos yn gyfundrefn gyfyng ac artiffisial ar yr olwg gyntaf, ond mewn gwirionedd mae gan y cynganeddwr medrus ryddid i'w fynegi'i hun yn rhwydd a naturiol. O fewn y pedwar prif fath a amlinellwyd mae amryw batrymau acennu'n bosibl er mwyn osgoi undonedd rhythmig. A rhaid cofio mai rhywbeth i'w werthfawrogi gan glust y gwrandawr yw'r gynghanedd, nid peth i'w ddadansoddi ar y tudalen. Pwysleisio'r geiriau pwysicaf yn y llinell yw ei phwrpas yn y bôn, ac os bydd y bardd yn feistr ar ei grefft bydd y sain yn goleuo'r synnwyr, gan greu llinell gofiadwy. Yng ngeiriau'r bardd Simwnt Fychan, mae'r gynghanedd yn creu 'melyster i'r glust, ac o'r glust i'r galon'.

Dafydd ap Gwilym

Yr arloeswr creadigol mawr ymhlith Beirdd yr Uchelwyr oedd Dafydd ap Gwilym, ac ystyria llawer mai ef yw bardd mwyaf Cymru mewn unrhyw oes. Perthynai Dafydd i deulu uchelwrol blaenllaw, ac mae'n debyg nad oedd yn fardd wrth ei broffes, ond roedd y traddodiad barddol yn gryf yn y teulu ers cenedlaethau, ac fe ddysgodd y grefft gan ei ewythr, a oedd yn gwnstabl Castellnewydd Emlyn. Mae union ddyddiadau einioes Dafydd yn dal i fod yn ansicr, ond fe ymddengys iddo farw'n ifanc, ac mae'n debyg bod y rhan fwyaf o'i gerddi wedi'u cyfansoddi yn y 1340au a'r 1350au. Goroesodd cynifer â chant a hanner o'i gerddi, a'r cwbl bron wedi'u cadw ar dafod leferydd yn y lle cyntaf, sy'n arwydd o boblogrwydd mawr ei waith. Ymhlith y rhain y mae ychydig o ganu crefyddol a mawl sy'n dangos iddo fod yn feistr ar yr hen ddulliau, ond mae'r rhan fwyaf o ddigon yn gerddi serch ar fesur y cywydd. Dafydd sy'n cael y clod fel arfer am ddatblygu'r cywydd, ac yn sicr ei waith ef a'i sefydlodd yn fesur poblogaidd. Fe ddigwydd rhai o themâu ei ganu serch yng ngwaith y Gogynfeirdd diweddar tua dechrau'r bedwaredd ganrif ar ddeg, ond Dafydd oedd y cyntaf i ganfod cyfrwng cwbl addas ar gyfer y pynciau newydd.

Fe ymddengys fod Dafydd yn arbennig o agored i'r ffasiynau llenyddol a oedd yn treiddio i Gymru o'r Cyfandir, a hefyd i'r diwylliant poblogaidd, ac asiodd y ddau ddylanwad â'r traddodiad barddol brodorol i greu synthesis newydd sbon. Gellir gweld hyn yn ei ganu natur. Yn y lle cyntaf tynnai ar y cysylltiad agos rhwng natur a serch a oedd wedi bodoli mewn barddoniaeth Gymraeg ers y ddeuddegfed ganrif o leiaf. At hynny fe ychwanegodd ar y naill law ddylanwad arferion gwerin yn ymwneud â dathlu'r tymhorau, yn enwedig ddyfodiad yr haf ym mis Mai, ac ar y llaw arall gonfensiwn llenyddol Ewropeaidd y cyfarfod dirgel rhwng cariadon ('yr oed') mewn man delfrydol yn y goedwig. Ac oherwydd manylder ei ddisgrifiadau byw o olygfeydd a chreaduriaid mae natur yn llawer mwy na chefnlen ar gyfer serch yn ei waith. Ceir ei ddisgrifiadau mwyaf trawiadol yn y darnau o ddyfalu, lle gwelir ei ddychymyg disglair ar waith mewn cyfresi o drosiadau'n dilyn ei gilydd blith-draphlith, yn darlunio pethau fel yr wylan, y niwl, neu'r gwynt. Mae'r niwl yn garthen, yn gwfl llwyd ac yn bais dur yn pwyso'n drwm ar y ddaear. Daw dawn Dafydd i ymuniaethu â byd natur i'r amlwg yn ei gerddi llatai, lle y mae'n anfon creaduriaid gwyllt, a hyd yn oed y gwynt ei hun, yn negeswyr at ei gariad.

Canodd Dafydd am ei brofiadau gydag amryw o ferched, ond dwy sy'n sefyll allan fel ysbrydoliaeth i lawer o'i waith, sef Morfudd a Dyddgu. Roedd Morfudd yn wraig i fasnachwr o Aberystwyth a lysenwyd 'y Bwa Bach', a dengys y cerddi niferus a ganodd Dafydd iddi fod carwriaeth hir a throfaus rhyngddynt cyn iddi briodi ac wedyn. Roedd Dyddgu'n ferch i uchelwr o Geredigion, ac yn anghyraeddadwy oherwydd ei safle cymdeithasol uchel. Er bod Morfudd a Dyddgu'n bendant yn ferched o gig a gwaed, mae perthynas Dafydd â'r ddwy yn cydymffurfio hefyd â dau gysyniad gwahanol o serch yn llenyddiaeth Ewrop, y naill yn perthyn i'r dosbarth bwrgais a'r llall i'r bendefigaeth. Morfudd yw gwraig ifanc nwydus y *fabliaux*, a warchodir yn eiddigeddus gan ei hen ŵr rhag ystrywiau'r bardd ifanc, a Dyddgu yw arglwyddes ddelfrydol y canu serch cwrtais, na ellir ond ei hedmygu o bell.

Efallai mai cyfraniad mwyaf Dafydd ap Gwilym i'r traddodiad barddol oedd ei wneud ei hun yn brif bwnc ei waith. Ac eithrio Hywel ab Owain Gwynedd (sy'n rhagflaenydd pwysig i Ddafydd), cyfansoddai'r beirdd llys mewn modd hanfodol amhersonol a gwrthrychol. Mae cerddi Dafydd yn gwbl oddrychol, yn seiliedig ar ei deimladau a'i brofiadau ei hun, ac roedd yn barod iawn i greu hwyl ar ei draul ei hun trwy chwarae rôl y clown trwstan. Gwelir esiampl ardderchog o'r math hwn o hiwmor yn y cywydd 'Trafferth mewn Tafarn', lle y mae Dafydd yn hudo merch mewn tafarn ac yn trefnu i ddod i'w gwely pan fydd pawb arall yn cysgu. Ysywaeth, mae'n baglu dros y dodrefn yn y tywyllwch, gan ddeffro tri Sais, sy'n meddwl bod lleidr yn ceisio dwyn eu heiddo. Llwydda Dafydd i sleifio'n ôl i'w wely ei hun, yn fethiant truenus fel carwr ac yn destun gwawd. Ond mae min difrifol i'r hunan-wawd yn aml, ac ymwybyddiaeth ddofn o fyrhoedledd truenus bywyd dyn. Mae un o'i gerddi dwysaf yn fyfyrdod ar furddun lle y buasai gynt yn gorwedd ym mreichiau'i gariad, ac mewn un arall mae'n rhag-weld henaint Morfudd gyda sythwelediad hunllefus.

Gwnaeth Dafydd gyfraniad arloesol i'r traddodiad mawl hefyd gyda saith cerdd a ganodd i'w gyfaill a'i noddwr Ifor Hael o Forgannwg. Yn y rhain fe gymhwysodd rai o ddulliau'r canu serch i greu mawl beiddgar o bersonol. Mae'n debyg mai Dafydd oedd y cyntaf i ddefnyddio'r cywydd yn gyfrwng i foli uchelwr, a bu'i ddarlun o'r

Dafydd ap Gwilym

'Y Deildy'

Heirdd feirdd, f'eurddyn diledryw,
Hawddamor, hoen goror gwiw,
I fun lwys a'm cynhwysai
Mewn bedw a chyll, mentyll Mai,
Llathr daerfalch uwch llethr derfyn,
Lle da i hoffi lliw dyn;
Gwir ddodrefn o'r gaer ddidryf,[1]
Gwell yw ystafell os tyf.

O daw meinwar fy nghariad
I dŷ dail a wnaeth Duw Dad,
Dyhuddiant[2] fydd y gwŷdd gwiw,
Dihuddygl o dŷ heddiw.
Nid gwaith gormodd dan gronglwyd,
Nid gwaeth deiliadaeth Duw lwyd.
Unair wyf i â'm cyfoed,
Yno y cawn yn y coed
Clywed siarad gan adar,
Clerwyr coed, claerwawr a'u câr;
Cywyddau, gweau gwiail,
Cywion priodolion dail;
Cenedl â dychwedl[3] dichwerw,
Cywion cerddorion caer dderw.
Dewi yn hy a'i dawnha,
Dwylo Mai a'i hadeila,
A'i linyn yw'r gog lonydd,
A'i ysgwîr yw eos gwŷdd,
A'i dywydd yw hirddydd haf,
A'i ais yw goglais gwiwglaf;
Ac allor serch yw'r gelli
Yn gall, a'i fwyall wyf fi.

Ni chaf yn nechrau blwyddyn
Yn hwy y tŷ no hyd hyn.
Pell i'm bryd roddi gobrau
I wrach o hen gilfach gau,
Ni cheisiaf, adroddaf drais,
Wrth adail a wrthodais.

[1]unig [2]cysur [3]stori

berthynas glòs rhwng bardd a noddwr yn ddylanwad mawr ar feirdd diweddarach. Dafydd a roddodd yr enw 'Hael' i Ifor, a'i Ifor Hael yw'r enwocaf o holl noddwyr llenyddiaeth Gymraeg.

Iolo Goch

Ymhlith y genhedlaeth ddisglair o feirdd a fu'n gyfoedion neu'n gyfoeswyr iau i Ddafydd ap Gwilym, y pwysicaf oedd Iolo Goch o Ddyffryn Clwyd. Gwnaeth Iolo gyfraniad allweddol i'r traddodiad mawl trwy addasu'r cywydd newydd yn gyfrwng digon urddasol i gyfleu delfrydau cymdeithasol yr hen awdlau, gan ddefnyddio peth o'u hieithwedd a'u delweddaeth arwrol. Roedd ei geidwadaeth yn gwrthbwyso newydd-deb Dafydd ap Gwilym, gan sicrhau parhad y traddodiad mewn cyfnod o newid mawr yng Nghymru. Mae'n debyg ei fod yn fwy dibynnol ar nawdd uchelwyr na Dafydd, a bu'n teithio drwy Gymru gyfan mewn gyrfa hir yn rhychwantu ail hanner y bedwaredd ganrif ar ddeg. Canodd i rai o arglwyddi mwyaf pwerus y wlad, gan gynnwys y Brenin Edward III ei hun (am fod cynifer o Gymry'n gwasanaethu yn ei fyddinoedd yn yr Alban a Ffrainc, efallai). Fel llawer o'i gydwladwyr, roedd agwedd Iolo tuag at y Saeson yn ddeublyg. Mae chwerwder ynghylch gormes estron i'w weld yn ei waith, ac eto mae'n amlwg ei fod yn deyrngar i'r Goron ac yn awyddus i'w noddwyr gael rhan flaenllaw yn ei llywodraeth yng Nghymru.

Noddwr enwocaf Iolo oedd Owain Glyndŵr. Goroesodd tri chywydd gan Iolo i Owain, yn perthyn i ddiwedd y 1380au mae'n debyg, dros ddeng mlynedd cyn ei wrthryfel. Un yn unig sydd fel petai'n cynnwys argoel o'r anesmwythyd a arweiniodd at y gwrthryfel, lle'r olrheinir achau Owain er mwyn profi'i hawliau ar diroedd ym Mhowys a Deheubarth. Ond mwy nodweddiadol o ddelfrydau cymdeithasol y bardd yw ei ddisgrifiad enwog o gartref Owain yn Sycharth. Hon yw'r gyntaf mewn olyniaeth hir o gerddi gan Feirdd yr Uchelwyr yn disgrifio tai, ac mae'r manylder gweledol yn un o gryfderau mawr barddoniaeth y cyfnod. Darlun llawn arwyddocâd yw hwn, a'r bensaernïaeth gymesur yn symbol o'r cytgord a'r gyd-ddibyniaeth a ddylai fodoli o fewn y gymdeithas. Gwelir yr un delfryd yn ei gywydd adnabyddus i'r llafurwr. Ar yr olwg gyntaf mae'r mawl i werinwr distadl yn dipyn o syndod, ond mewn gwirionedd mae'r bardd yn cynnal buddiannau'r tirfeddianwyr trwy ganmol y llafurwr am dderbyn ei le yn ostyngedig a disgwyl ei wobr yn y nefoedd. Rhaid cofio i Iolo fyw trwy ddinistr dychrynllyd y Pla a'r chwalfa a ddaeth yn ei sgil, a'i fod felly yn boenus o ymwybodol o'r angen am drefn a sefydlogrwydd yn y gymdeithas.

Roedd Iolo Goch yn fardd dyfeisgar iawn a oedd yn barod i ddefnyddio confensiynau llenyddol mewn ffyrdd annisgwyl, gan greu cerddi bywiog a chofiadwy. Er enghraifft, disgrifia daith glera i'r de-orllewin ar ffurf ymddiddan rhwng ei gorff a'i enaid (confensiwn yn y llenyddiaeth grefyddol), a'r enaid yn chwilio am gorff y bardd meddw yng nghartrefi'i noddwyr. Yn ei ddisgrifiad o Gastell Cricieth defnyddir dyfais y weledigaeth mewn breuddwyd i gyfleu'r argraff o lys delfrydol y rhamantau, gan adleisio'r chwedl *Breuddwyd Macsen.* Mae'r dyfeisgarwch hwn yn nodwedd ar holl waith y Cywyddwyr cynnar. Yr esiampl fwyaf nodedig yw marwnad Llywelyn Goch ap Meurig Hen i'w gariad Lleucu Llwyd, lle y defnyddir confensiwn y serenâd mewn modd dramatig a dwys iawn. Mae'r bardd yn ymbil ar Leucu i agor drws y bedd ac yn edliw ei mudandod iddi, yn union fel y byddai carwr yn ei wneud y tu allan i dŷ ei gariad yn y nos.

Barddoniaeth y bymthegfed ganrif

Ychydig iawn o gerddi sydd wedi goroesi o chwarter cyntaf y bymthegfed ganrif, oherwydd yr anhrefn cymdeithasol a achoswyd gan wrthryfel Glyndŵr, ond o'r 1430au ymlaen blodeuodd y traddodiad yn gryfach nag erioed. Mae cryn gyfiawnhad dros ddisgrifiad Saunders Lewis o'r cyfnod 1435–1535, 'y Ganrif Fawr'. Cynhaliwyd eisteddfod yng Nghaerfyrddin tua 1451 ar gyfer beirdd a cherddorion o bob rhan o Gymru, a fu'n gyfle i adolygu a thynhau rheolau cerdd dafod. Enillwyd y gadair gan Ddafydd ab Edmwnd, uchelwr o sir y Fflint sy'n enghraifft loyw o gyfraniad y beirdd amatur yn y cyfnod hwn. Roedd mesur y cywydd wedi hen ennill ei blwyf erbyn hyn, ac yng ngwaith beirdd fel Guto'r Glyn, Lewys Glyn Cothi, Dafydd Nanmor a Gutun Owain gwelir meistrolaeth lwyr dros y cyfrwng. Yn wahanol i arddull astrus y ganrif flaenorol, camp y beirdd hyn oedd cuddio'u celfyddyd, gan roi'r argraff o fynegiant naturiol a diymdrech. Mae eu cerddi'n ymhyfrydu yn holl foethusrwydd y bywyd aristocrataidd, gan fanylu ar winoedd a bwydydd amheuthun y gwleddoedd mawr. Er bod cysondeb cyffredinol ym marddoniaeth y cyfnod o ran arddull a delfrydau, mae personoliaethau unigol y meistri mawr i'w gweld yn ddigon clir yn eu gwaith. Nodweddir canu mawl Guto'r Glyn gan ei hwyl ffraeth a hoffus, tra bod gwaith Dafydd Nanmor yn fwy myfyrdodus, yn ddathliad cain o wareiddiad sefydlog. Fel ei athro Dafydd ab Edmwnd, roedd Gutun Owain yn uchelwr o fardd ac yn arbenigwr ar y ddysg farddol, a gellir ei weld yn rhagflaenydd i ŵr bonheddig llengar y Dadeni. Mae gwaith Lewys Glyn Cothi'n nodedig am ei ddynoliaeth gynnes, a welir yn enwedig yn y farwnad deimladwy

117

vyr angel hawd i veler.
Aphwyr hael ymhlith [illegible] lan ffer.
Hir oedl yt gyt charyat.
Henri lew hanner ywlat.
Mab Ieuan vychan vyt hael.
Dy deidien o vaer ovaer idval.
Karyat or tat ac or tait.
Kyverwydd yr kybyrieit.
Blaenawr lle gwnawt vaewawr dellt.
Bon elmael abuellt.
Bedwyr gruffuth ap adam.
Bywyt no i vab dy nam.
Drych adeila yn [illegible].
Dan tat ar dir y teidieu.
Y brynn coch a olwyn kerd.
Brynn hengorf a brenhinged.
Brynn yr aur melyn ar mel.
Brynn iach dan wybren uchel.
Brynn hil haron vehelyth.
Brynn y beird ar barneu lyth.
I nard ac i onerdynn.
A un er ioet kynnyw wynn.
Pwy a gwnaeth yn vab maeth mel.
Pwy madogon ap ho.
Ieuan i vab [illegible].

Tudalen o un o lawysgrifau Lewys Glyn Cothi (Peniarth 109).

a ganodd i'w fab pum mlwydd, Siôn, y dyfynnwyd darn ohoni uchod i enghreifftio'r cynganeddion. Lewys oedd y bardd cyntaf i gadw copïau ysgrifenedig o'i waith ar raddfa helaeth, yn lle dibynnu ar drosglwyddiad llafar, ac oherwydd hynny ei waith ef yw'r corff mwyaf o farddoniaeth Gymraeg sydd wedi goroesi o'r Oesoedd Canol.

Y math o gerdd sy'n cynrychioli'r cyfnod hwn orau yw'r cywydd gofyn, lle byddai'r bardd yn erchi rhodd gan noddwr (megis march, arf, neu ddilledyn), weithiau iddo ef ei hun ond yn amlach ar ran uchelwr arall. Byddai'r rhodd yn cael ei disgrifio'n fanwl trwy dechneg dyfalu a welwyd eisoes yng ngwaith Dafydd ap Gwilym. Dyma farddoniaeth gymdeithasol ar ei gorau, yn dathlu crefftwaith y gwneuthurwr (dwyfol neu ddynol) yn ogystal â'r rhwymau cyfeillgarwch yr oedd y rhodd yn arwydd ohonynt. Datblygwyd nifer o fathau eraill o gerddi yn y cyfnod hefyd, megis y farwnad a'r disgrifiad o ferch, ac roedd confensiynau *genre* yn hanfodol i farddoneg Beirdd yr Uchelwyr. Cyrhaeddodd barddoniaeth glasurol y bymthegfed ganrif ei hanterth yng ngwaith Tudur Aled (*c.* 1465–1525), crefftwr disglair a greodd gerddi eithriadol o gywrain, llwythog eu haddurn a'u delweddaeth.

Lleisiau anghytûn

Darlun dethol iawn oedd y ddelwedd o gymdeithas sefydlog a bodlon a gyflewyd gan y canu mawl, wrth reswm, ac fe geir safbwyntiau eraill, mwy herfeiddiol ym marddoniaeth yr Oesoedd Canol. Roedd chwerwder tuag at y Saeson ac awydd i ddial eu gormes yn ddigon cyffredin, ac fe gafodd fynegiant ffyrnig yn y cywyddau brud, cerddi proffwydol bwriadol dywyll ac amhendant eu mynegiant a oedd yn tynnu ar draddodiad hir o ddarogan buddugoliaeth dros y gelyn, ac yn defnyddio'r symbolaeth anifeiliaid a geir ym mhroffwydoliaethau Myrddin gan Sieffre o Fynwy. Yn ystod Rhyfeloedd y Rhosynnau cefnogai'r canu hwn obeithion y Cymry o adennill sofraniaeth dros Ynys Prydain. Daeth y traddodiad proffwydol i ben pan gyflawnwyd y gobeithion hynny trwy goroni'r Cymro Harri Tudur yn frenin yn sgil brwydr Bosworth yn 1485, er bod canlyniadau gwleidyddol y llwyddiant hwnnw'n gwbl wahanol i'r gyflafan apocalyptaidd a ragwelwyd gan y brudwyr.

Gwrthgyferbyniad arall i ddelfrydaeth hyderus y canu mawl oedd negyddiaeth ysgubol y canu dychan, dull astrus o ddifenwi neu felltithio a ddibynnai am ei effaith ar y gred gyntefig yng ngallu goruwchnaturiol y bardd i beri niwed neu hyd yn oed i ladd. Byddai beirdd yn dychanu'i gilydd er difyrrwch i gynulleidfa weithiau, a

Siôn Cent

Darn o'i gywydd 'I'r Byd'

Ni phery dyn, derfyn dig,
Uwch adwy ond ychydig.
Darfod a wna ei derfyn,
Gorwedd yw diwedd pob dyn.
Doe yn wan, heddiw'n wannach,
Heb orwedd yn y bedd bach.
Yfory mewn oferedd
A threnydd bydd yn y bedd;
Ac ado'r corff heb orffen
A'i bwys o bridd, a'i bais bren,
A thrychant, meddant i mi,
O bryfed yn ei brofi.

byddai ymryson hefyd yn gyfle i drafod pynciau difrifol ynghylch natur a diben barddoniaeth, fel y gwnaeth Dafydd ap Gwilym a Gruffudd Gryg. Ond defnyddid dychan o ddifrif ambell waith fel arf yn erbyn uchelwr cybyddlyd a oedd wedi gwrthod rhoi croeso teilwng i fardd. Beth bynnag oedd yr effaith ar iechyd y gwrthrych anffodus, mae'n siŵr fod ei enw da wedi dioddef yn sgil anair y bardd.

Roedd dychan yn ddull ceidwadol yn y bôn, wedi'i seilio ar werthoedd cymdeithasol cydnabyddedig. Fe gafwyd ymosodiad llawer mwy radicalaidd ar y gwerthoedd hynny gan waith Siôn Cent, bardd amatur o ardal y gororau yn y de-ddwyrain a oedd yn ei flodau yn y cyfnod cythryblus a ddilynodd wrthryfel Glyndŵr. Gydag arddull foel a grymus dan ddylanwad y Brodyr Bregethwyr, mae cerddi Siôn Cent yn bregethau didrugaredd ar oferedd popeth bydol, sy'n atgoffa pobl o'u diwedd trwy fanylu ar erchyllterau marwolaeth a'r bedd. Mewn ymryson â Rhys Goch Eryri honnodd Siôn Cent mai awen gelwyddog o darddiad dieflig oedd eiddo'r beirdd proffesiynol, a thueddai ei waith i danseilio holl egwyddorion y canu mawl trwy gollfarnu'r arwyddion o statws bydol a ddethlid ganddynt.

Fe ymddengys nad oedd lle o gwbl i ferched yn y gyfundrefn farddol, ac o ganlyniad i hynny bydolwg gwrywaidd iawn a geir ym marddoniaeth Gymraeg yr Oesoedd Canol, a phwyslais trwm ar ddelfrydau patriarchaidd a chryfderau milwrol. Fe lwyddodd ychydig o ferched i feistroli'r grefft, ond yr unig un y mae corff sylweddol o farddoniaeth wedi goroesi ganddi yw Gwerful Mechain tua diwedd y bymthegfed ganrif. Fe ganodd Gwerful gerddi beiddgar yn datgan rhywioldeb y ferch, ac fe fu'n ymryson â dynion ar bynciau masweddus, ond efallai i'r cerddi hynny dderbyn gormod o sylw, gan fod rhychwant ei gwaith yn eang iawn, gan gynnwys canu crefyddol. Mae iddi le pwysig iawn yn hanes barddoniaeth Gymraeg fel bron yr unig lais sy'n siarad ar ran merched yn yr Oesoedd Canol.

Dirywiad y gyfundrefn farddol

O ganol yr unfed ganrif ar bymtheg ymlaen fe welwyd dirywiad araf ond pendant yn safonau'r canu caeth. Bardd mawr olaf y traddodiad canoloesol oedd Wiliam Llŷn, a fu farw yn 1580. Fe barhaodd y traddodiad yn gryfach mewn ambell ardal na'i gilydd, wrth gwrs, fel Ardudwy lle bu teulu'r Phylipiaid yn cynnal yr hen grefft ymhell i mewn i'r ail ganrif ar bymtheg. Mae cywydd Siôn Phylip i'r wylan yn gerdd gain iawn. Ond roedd y beirdd yn ei chael yn fwyfwy anodd gwneud bywoliaeth o'u crefft, a chyn diwedd yr ail ganrif ar bymtheg roedd y gyfundrefn broffesiynol wedi darfod yn llwyr. Newidiadau cymdeithasol oedd yn bennaf cyfrifol am y dirywiad, yn enwedig Seisnigeiddio'r uchelwyr yng nghyfnod y Tuduriaid, a olygai eu bod yn llawer llai parod i noddi'r beirdd. Ar y llaw arall, oherwydd ceidwadaeth gynhenid y gyfundrefn farddol ei hun, roedd y beirdd yn gyndyn iawn i ymaddasu i drefn gymdeithasol fwy hylif ac i ddiwylliant llyfrau printiedig y Dadeni. Ond ni chafwyd toriad llwyr yn y traddodiad barddol yn sgil diflaniad y gyfundrefn ganoloesol. Fel y ceir gweld, trosglwyddwyd hanfodion y grefft i feirdd gwerinol, parhaodd y bardd i chwarae rhan ganolog ym mywyd ei gymdeithas, ac y mae celfyddyd barddoniaeth yr Oesoedd Canol wedi bod yn batrwm ac yn ysbrydoliaeth i feirdd Cymraeg hyd heddiw.

5 Y Dadeni

Dyneiddiaeth

Roedd y Dadeni yn fudiad Ewropeaidd a dreiddiodd i Gymru trwy Loegr o tua 1540 ymlaen, a dyneiddiaeth yw'r term a ddefnyddir i ddisgrifio ei ddysg a'i ddelfrydau. Prif nodwedd ddiffiniol y dyneiddwyr oedd eu hedmygedd at ddysg glasurol yr ieithoedd Lladin a Groeg, ac ymgais i adfer y ddysg honno (a aethai ar goll yn ystod yr Oesoedd Canol yn nhyb y dyneiddwyr) oedd y Dadeni. Hyrwyddwyd eu hamcan i ledaenu'r ddysg ddyneiddiol gan ddatblygiad yr argraffwasg yn y bymthegfed ganrif. Er na allai Cymru gyfranogi'n llawn o ddiwylliant newydd y llyfr printiedig oherwydd absenoldeb y llysoedd, y prifysgolion a'r gymdeithas ddinesig a'i cynhaliai mewn gwledydd eraill, serch hynny roedd dyneiddwyr Cymru yn awyddus iawn i fanteisio ar yr argraffwasg, gan eu bod yn gweld perygl i'r Gymraeg gael ei gadael ar ôl a methu â datblygu'n iaith ddysg (fel a ddigwyddodd i raddau helaeth yn achos yr ieithoedd Celtaidd eraill). Cyhoeddwyd y llyfr Cymraeg cyntaf yn 1546, sef *Yn y lhyvyr hwnn* (geiriau cyntaf ei deitl), casgliad o destunau crefyddol elfennol a luniwyd gan Syr John Prys. Ond er mai Prys oedd y cyntaf i gyhoeddi llyfr, gwir arloeswr cyhoeddi yn y Gymraeg oedd William Salesbury o sir Ddinbych, gŵr a ddaeth o dan ddylanwad dyneiddiaeth ym mhrifysgol Rhydychen. Cafodd diddordebau deallusol Salesbury eu grymuso gan ei gariad at ei famiaith, ac yn fwyaf arbennig gan ei ffydd Brotestannaidd, cyfuniad a roddodd angerdd i'w holl weithgarwch. Mae ehangder ei ddysg yn nodweddiadol o ddyneiddiaeth, gan gynnwys cyhoeddiadau yn y Gymraeg a'r Saesneg ym meysydd ieithyddiaeth, diarhebion, gwyddoniaeth, y gyfraith, a phynciau llosg crefyddol, ond un amcan mawr oedd y tu ôl i'r cwbl, sef rhoi'r iaith ar waith er mwyn paratoi'r ffordd ar gyfer cyfieithu'r ysgrythurau.

Yn union fel dyneiddwyr gwledydd eraill, teimlai'r Cymry fod eu hiaith yn annigonol iawn o'i chymharu â Groeg a Lladin, a bod angen ei gwella a'i chyfoethogi er mwyn iddi allu cynnwys y ddysg newydd. Ysgolheictod ieithyddol oedd prif faes eu gweithgarwch felly, sef llunio geiriaduron i ehangu geirfa'r iaith, llyfrau gramadeg i sefydlu safonau cywirdeb, a llawlyfrau rhethreg i ddod â cheinderau'r arddull glasurol i mewn i'r Gymraeg. William Salesbury a gychwynnodd hyn gyda'i eiriadur Cymraeg–Saesneg yn 1547, ond y gwaith mawr cyntaf oedd llyfr gramadeg gan y pabydd alltud Gruffydd Robert, a gyhoedd-

William Salesbury

I ba beth y gedwch ich llyfreu lwydo mewn coggleu, a phryfedy mewn ciste, ae darguddio rac gweled o neb, a nid chwychwy ech hunain? O bleit o ran ych bod chwi yn darguddio hen lyfreu ych iaith, ac yn enwedic y rei or yscrythur lan, nyd byw r Cembro er dyscedicket vo, a veidyr iawn draythy r yscrythur lan y chwy yn Camberaec, can y bregliach ar y priniaith ydd ych chwi yr oes hon yn gyffredin. A ydych chwi yn tybieit nat rait amgenach eirieu, na mwy amryw ar amadroddion y draythy dysceidaeth, ac y adrodd athrawaeth a chelfyddodeu, nag sydd genwch chwi yn arveredic wrth siarad beunydd yn pryny a gwerthy a bwyta ac yfed? Ac od ych chwi yn tybyeit hynny voch tuyller. A chymerwch hyn yn lle rybydd y cenyf vi: a nyd achubwch chwi a chweirio a pherfeithio r iaith kyn daruod am y to ys ydd heddio, y bydd ryhwyr y gwaith gwedy. Ac a ny bydd dysc, gwybodaeth, doethineb, a dywolwch mewn iaith, pa well hi na sirmwnt adar gwylltion, ne ruat aniueilieit a bwystviloedd? . . . Ond gwrandewch chwi etto pa peth a ddywedaf vi wrthych chwi, y sawl ny bo gobeith ywch ar ddyscy saesnec ne iaith arall y bo dysc ynthei: Gwrandewch (meddaf) pa ddywedwyf wrthych: A ny vynwch vynet yn waeth nag aniueilieit (y rain ny anet y ddyall mal dyn) mynuch ddysc yn ych iaith: a ny vynnwch vod yn vwy annaturial na nasion y dan haul, hoffwch ych iaith ac ae hoffo. A ny vynwch ymado yn dalgrwn dec a fydd Christ, a ny vynwch yn lan syth na bo ywch ddim a wneloch ac ef, ac any vynnwch tros gofi ac ebryfygy i ewyllys ef y gyd achlan, mynwch yr yscrythur lan yn ych iaith, mal ac y bu hi y gan ych dedwydd henafieit yr hen Uryttanneit.

(O'r rhagymadrodd i'w gasgliad o ddiarhebion, *Oll Synnwyr Pen Kembero Ygyd*, 1547)

wyd ym Milan o 1567 ymlaen. Nid cyfeirlyfr sych mo hwn, eithr gwaith bywiog ar ffurf deialog rhwng athro a disgybl, sy'n cynnwys darnau o ryddiaith Giceronaidd wych. Bwriad Gruffydd Robert oedd gosod y seiliau ar gyfer llenyddiaeth ddyneiddiol a fyddai'n hybu achos y ffydd babyddol yng Nghymru, ac roedd ei ramadeg yn esiampl o'r math o lenyddiaeth y ceisiai ei greu. Ysgolhaig arall a gafodd brofiad personol o ddyneiddiaeth yr Eidal oedd y Dr Siôn Dafydd Rhys, gŵr amryddawn a geisiodd ddatgelu gogoniannau'r iaith Gymraeg a'i llenyddiaeth i'r byd mawr trwy gyhoeddi llawlyfr yn Lladin yn 1592. Uchafbwynt ysgolheictod Cymraeg y Dadeni oedd yr astudiaeth derfynol o iaith glasurol y beirdd a gafwyd gan y Dr John Davies, Mallwyd, yn ei lyfr gramadeg (1621) a'i eiriadur Cymraeg–Lladin (1632).

Roedd y Cymry braidd yn wahanol i ddyneiddwyr gwledydd eraill o ran eu hagwedd at eu diwylliant a'u hanes brodorol. Coleddent gred yn nharddiad clasurol y genedl yn seiliedig ar stori Sieffre o Fynwy am Frutus o Gaerdroia yn cyfanheddu Prydain, a bu haneswyr Cymreig yn amddiffyn y myth hwnnw'n daer yn erbyn beirniaid amheugar tan y bedwaredd ganrif ar bymtheg. Myth arall a berthynai'n agos i hwnnw oedd y gred mewn oes aur o ddysg Gymraeg, a gysylltid â'r derwyddon y ceir sôn amdanynt gan awduron clasurol. Nid dysg heb lyfrau yng ngolwg y dyneiddwyr, a chredid i'r llyfrau Cymraeg cynnar (gan gynnwys cyfieithiad tybiedig o'r Beibl) gael eu dinistrio, ond bu'r myth yn ysbrydoliaeth i hynafiaethwyr Cymru megis William Salesbury a Thomas Wiliems i chwilio'n ddyfal am hen lawysgrifau yn y gobaith o ddod o hyd i ryw weddillion o'r gorffennol gogoneddus. Ystyrid bod y traddodiad barddol yn perthyn i olyniaeth yr hen ddysg, ac roedd agwedd ddeublyg y dyneiddwyr tuag at y beirdd yn gyfuniad o ddirmyg tuag at gulni eu hurdd ganoloesol gaeedig ar y naill law, a balchder cenedlaethol mewn celfyddyd hafal i lenyddiaeth glasurol ar y llaw arall.

Y testun sy'n dangos y gwrthdaro rhwng y dyneiddwyr a'r gyfundrefn farddol orau yw'r ymryson barddol a fu rhwng Edmwnd Prys, gŵr gradd o Gaergrawnt ac archddiacon Meirionnydd, a'r bardd proffesiynol Wiliam Cynwal. Roedd hwn yn farathon prydyddol, yn cynnwys hanner cant a phedwar o gywyddau ac yn ymestyn dros chwe blynedd o 1581 tan i Gynwal farw yn 1587. Roedd cyfraniad Prys i'r ddadl yn rhyw fath o faniffesto dyneiddiol ar gyfer barddoniaeth; condemniodd fawl y beirdd ar dir moesol ac anogodd Gynwal i dynnu'i ddeunydd o ddysg newydd y llyfrau printiedig yn hytrach nag o chwedloniaeth lafar yr Oesoedd Canol. Siomedig braidd yw ymateb Cynwal, a nodweddiadol o fethiant y gyfundrefn farddol i wynebu her y Dadeni. Canolbwyntiodd ar y ffaith nad oedd gan Prys unrhyw gymwysterau proffesiynol fel bardd, ac fe'i cynghorodd i gadw at ei briod faes ei hun. Roedd Prys yn batrwm o'r math o fardd amatur dysgedig y gobeithiai'r dyneiddwyr ei greu trwy eu llawlyfrau ar farddoniaeth, ond eithriad prin ydoedd, ac at ei gilydd arhosodd y mesurau caeth yn faes i'r beirdd wrth eu proffes.

Y Beibl Cymraeg

Ffrwyth cydweithio rhwng dyneiddiaeth a Phrotestaniaeth oedd y Beibl Cymraeg. Y cyfieithiad oedd llwyddiant mwyaf y Dadeni yng Nghymru, gan mai'r Beibl oedd y mwyaf o holl lyfrau dysgedig y byd yng ngolwg y dyneiddwyr, ac un a fyddai'n dyrchafu statws pob iaith a'i derbyniai. Roedd y Beibl hefyd yn rhan hanfodol o raglen y Diwygiad Protestannaidd ym Mhrydain, am ei fod yn rhoi cyfle i bob unigolyn ennill iachawdwriaeth trwy brofiad personol o air Duw, a chan fod y mwyafrif helaeth o boblogaeth Cymru yn uniaith Gymraeg roedd cael Beibl yn eu hiaith yn fater o frys. Dyna paham y cafwyd deddf gan y Senedd yn 1563 yn gorchymyn cyfieithu'r Beibl i'r Gymraeg. Fel yn ieithoedd eraill Ewrop, bu ysgolheigion yn cydlafurio dros fwy nag un genhedlaeth i greu'r cyfieithiad terfynol, a sail angenrheidiol i'r holl ymdrech oedd y broses o gyfoethogi a chywreinio'r iaith yn ystod cyfnod y Dadeni.

Roedd William Salesbury eisoes wedi cymryd y cam cyntaf â'i fersiwn o'r llithiau a ddarllenid yn yr eglwysi, *Kynniver Llith a Ban*, a gyhoeddwyd yn 1551, a phan orchmynnwyd i esgobion Cymru gynhyrchu cyfieithiad peth hollol naturiol oedd troi ato ef. Cafodd Salesbury gefnogaeth gan Richard Davies, esgob Tyddewi, a gwnaeth lawer o'r gwaith yn llys yr esgob yn Abergwili, un o'r ychydig ganolfannau dyneiddiol yng Nghymru. Erbyn 1567 dim ond y Testament Newydd oedd yn barod i'w gyhoeddi, a'r cwbl yn waith Salesbury heblaw pump o'r epistolau a gyfieithwyd gan yr Esgob Davies a Llyfr y Datguddiad gan Thomas Huet. Gwaith Salesbury yn unig oedd y Llyfr Gweddi Gyffredin a gyhoeddwyd yr un flwyddyn. Cyfieithiad pwrpasol a dirodres oedd eiddo'r Esgob Davies, yn gyson â'i genhadaeth Brotestannaidd. Roedd cymhellion Salesbury yn fwy cymhleth, a gosodai fwy o bwys ar ansawdd iaith ac ar arddull gain ac urddasol. Ceisiodd gyflawni hynny trwy arfer ieithwedd hynafol, amrywiaeth ymadrodd, ac orgraff fympwyol a oedd i fod i amlygu'r berthynas agos rhwng y Gymraeg a'r Lladin. Roedd ei ddelfrydau dyneiddiol felly'n ymyrryd ag amcan crefyddol ei waith, a'r canlyniad oedd cyfieithiad a oedd bron yn annealladwy i bawb ond yr ysgolheigion. 'Yr oedd cyfled llediaith a chymaint anghyfiaith yn yr ymadrodd brintiedig, na alle clust gwir Gymro ddioddef clywed mo 'naw'n iawn', oedd sylw Morris Kyffin yn 1595. Roedd hynny'n drasiedi, oherwydd er gwaetha'r hynodrwydd arwynebol roedd safon y cyfieithiad yn uchel iawn, ond o leiaf fe fu gwaith Salesbury yn sail werthfawr ar gyfer cyfieithwyr diweddarach.

Cyhoeddwyd y Beibl Cymraeg llawn yn 1588, wedi'i gyfieithu

Pen.j. 261

Llyfr Prophvvydoliaeth Esay.

PENNOD. I.

Aniolchgarwch a chyndynrwydd y bobl. 11 Eu llygredic wasanaeth i Dduw. 14 A dialedd Duw am hynny.

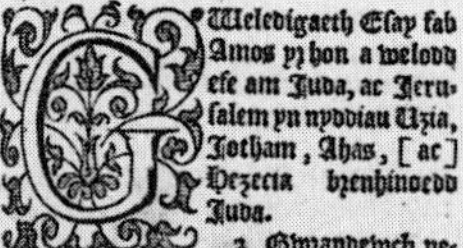

Weledigaeth Esay fab Amos yr hon a welodd efe am Iuda, ac Ierusalem yn nyddiau Uzia, Iotham, Ahas, [ac] Hezecia brenhinoedd Iuda.

2 Gwrandewch nefoedd, clyw dithe ddaiar, canys yr Arglwydd a lefarodd: megais, a meithrinais *feibion, a hwynt a wrthryfelasant i'm herbyn.

3 Yr ych a edwyn ei feddiannudd, a'r assyn breseb ei berchennog: [ond] Israel nid edwyn, fy mhobl ni ddeall.

4 O genhedlaeth bechadurus, pobl llwythoc o anwiredd, hâd y rhai drygionus, meibion llygredic, gwrthodasant yr Arglwydd, dirmygasant Sanct Israel, [a] chiliasant yn ôl.

5 I ba beth i'ch tarewir mwy? ciloch ymlaen ac ymlaen. Ychwanegwch: y pen oll [sydd] glwyfus, a'r holl galon yn llesc.

6 O wadn y troed hyd y pen, nid [oes] ddim cyfan ynddo [onid] archollion, a chleisiau, a gweliau crawnllyd: [y rhai] ni wascwyd, ac ni rwymwyd, ac ni chynêrwyd ag olew.

7 Y mae eich gwlâd yn anrhaithiedic, eich dinasoedd wedi eu llosci â thân, eich tir a dieithriaid yn ei yssu yn eich gŵydd, ac wedi ei anrheithio fel pe ymchwele estroniaid ef.

8 A merch Sion a adewir megis lluesty mewn gwinllan, megis llety mewn gardd cucumerau, megis dinas warchaedic.

9 Oni buase i Arglwydd y lluoedd adel i ni megis ychydig weddill: fel Sodoma y buasem, a chyffelyb fuasem i Gomorra.

10 Gwrandewch air yr Arglwydd tywysogion Sodoma: clywch gyfraith ein Duw ni pobl Gomorra.

11 Beth [a fuddia] lluosogrwydd eich aberthau i mi medd yr Arglwydd? llawn ydwyf o boeth aberthau hyrddod, ac o frasder [anifeiliaid] breision: *gwaed bustych hefyd, ac ŵyn, a bychod ni ewyllysiais.

12 Pan ddeloch i ymddangos ger fy mron, pwy a geisiodd hyn ar eich llaw [sef] sathru fy llysoedd?

13 Na chwanegwch ddwyn offrwm yn ofer, arogl-darth sydd ffiaidd gennif: ni allaf oddef [eich] newydd-loerau na'r Sabbothau gan gyhoeddi cymanfa, ac uchel-ŵyl, [canys] anwiredd [ydynt.]

14 Eich lleuadau newydd, a'ch gwyliau gosodedic a gasaodd fy enaid, y maent yn faich arnaf, blinais yn eu dwyn.

15 A phan estynnoch eich dwylo y cuddiaf fy llygaid rhagoch: hefyd pan weddioch lawer ni wrandawaf: *eich dwylo ydynt lawn o waed. Esay.59.3.

16 Ymolchwch, ymlanhewch, bwriwch ymmaith ddrygioni eich gweithredoedd oddi ger bron fy llygaid: peidiwch a gwneuthur drwg.

17 Dyscwch wneuthur daioni, ceisiwch farn, cyfarwyddwch y gorthrymmedic, bernwch [gyda'r] ymddifad, dadleuwch [tros] y weddw.

18 Deuwch yr awr hon, ac ymresymmwn medd yr Arglwydd, pe bydde eich pechodau fel porphor, ânt cyn wynned a'r eira, pe cochent fel scarlat, byddant fel gwlân.

19 Os mynnwch, ac os gwrandewch: daioni y tir a fwyttewch.

20 Ond os gwrthodwch, ac [os] anufyddhewch, â chleddyf i'ch yssir: canys genau yr Arglwydd a'i llefarodd.

21 Pa wedd yr aeth y ddinas ffyddlawn yn buttain? cyflawn [fu] o farn, lletteuodd cyfiawnder ynddi: ac yr awr hon lleiddiaid [sydd ynddi.]

22 Dy arian a aeth yn sothach, dy win sydd gymmyscedic o ddyfroedd.

23 Dy dywysogion [ydynt] gyndyn, ac yn gyfrannogion â lladron, pob un yn caru rhoddion, ac yn dilyn gwobrau: ni farnant yr ymddifad, a chwyn y weddw ni chaiff ddyfod attynt.

24 Am hynny medd Arglwydd Dduw y lluoedd [sef] cadarn [Dduw]'r Israel: aha, ymgysuraf yn erbyn fyng-wrthwynebwyr, a dialaf ar fyng-elynnion.

25 Yna y dychwelaf fy llaw arnat, ac a losc

Xx.iii. caf

Tudalen o Hen Destament Beibl 1588.

gan William Morgan, a oedd yn offeiriad plwyf yn Llanrhaeadr-ym-Mochnant ar y pryd (ac yn nes ymlaen yn esgob Llanelwy). William Morgan oedd yn gyfrifol am gyfieithu'r Hen Destament Hebraeg i'r Gymraeg am y tro cyntaf, a hefyd am adolygu'r Testament Newydd i gael gwared â hynodion arddull Salesbury. Seiliodd ei gyfieithiad ar iaith y beirdd, a oedd yn gyfoes ac yn glasurol, yn naturiol ac yn urddasol. Roedd Beibl William Morgan felly'n ddolen gyswllt allweddol a sicrhaodd barhad yr iaith lenyddol o'r Oesoedd Canol i mewn i'r cyfnod modern. Dim ond mân newidiadau a safoni orgraff a wnaed (gwaith y Dr John Davies, Mallwyd yn ôl pob tebyg) pan gyhoeddwyd cyfieithiad diwygiedig yn 1620. Mae'r fersiwn hwnnw'n meddu ar statws clasur llenyddol, yn debyg i'r *Authorized Version* yn Saesneg, ac fe fu'n sylfaen ar gyfer traddodiad newydd o ysgrifennu crefyddol yn yr ail ganrif ar bymtheg a'r ddeunawfed. Ni chafwyd cyfieithiad cwbl newydd tan bedwar canmlwyddiant Beibl William Morgan yn 1988.

Rhyddiaith grefyddol

Cyfieithiadau naill ai o'r Saesneg neu o'r Lladin oedd bron pob un o'r llyfrau a gynhyrchwyd gan yr Eglwys Anglicanaidd, yn rhannol oherwydd bod angen deunydd defosiynol Cymraeg ar frys, ond hefyd am fod mynegi barn bersonol yn groes i'r pwyslais ar gydymffurfio a derbyn awdurdod yn y traddodiad Anglicanaidd. Gweithiau ysgolheigaidd a gyfieithwyd gyntaf, er mwyn cynyddu nifer y llyfrau dysgedig yn y Gymraeg, megis llyfr yr Esgob Jewel yn amddiffyn y ddysgeidiaeth Anglicanaidd, a gyfieithwyd o'r Lladin gan Morris Kyffin yn 1595 fel *Deffynniad Ffydd Eglwys Loegr*, a chyfieithiad Huw Lewys o draethawd athronyddol Miles Coverdale, *Perl mewn Adfyd*, a gyhoeddwyd yn yr un flwyddyn. Wrth i fudiad y Dadeni golli'i nerth symudodd y pwyslais oddi wrth ddysg tuag at weithiau mwy ymarferol gyda'r amcan o addysgu'r bobl gyffredin am elfennau'r ffydd Gristnogol. Yn y cyfieithiadau hyn defnyddir arddull uniongyrchol sy'n adlewyrchu'r arfer o ddarllen yn uchel i'r holl deulu a'r gweision mewn tai mawr. Y mwyaf o gyfieithwyr yr ail ganrif ar bymtheg oedd Rowland Vaughan o Gaer-gai, mân uchelwr a Brenhinwr pybyr a gyhoeddodd wyth llyfr. Y cynharaf a'r mwyaf adnabyddus o'r rhain yw *Yr Ymarfer o Dduwioldeb* (1630), cyfieithiad o *The Practice of Piety* Lewis Bayly.

Roedd agwedd yr Anghydffurfwyr Piwritanaidd tuag at lenyddiaeth grefyddol yn wahanol iawn i eiddo'r Anglicaniaid. Rhoddent lawer mwy o bwyslais ar brofiad ysbrydol yr unigolyn, ac felly roeddynt yn barotach i lunio gweithiau gwreiddiol nag i gyfieithu testunau

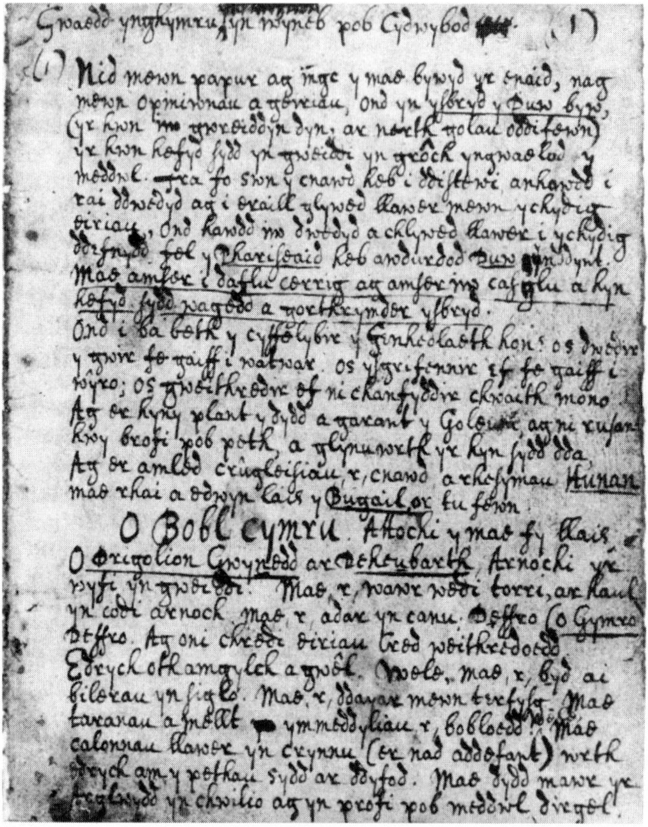
Gwaedd ynghymru yn wyneb pob Cydwybod

Tudalen cyntaf Gwaedd ynghymru *Morgan Llwyd, yn llaw'r awdur.*

awdurdodol. Y medrusaf a'r mwyaf cyffrous o'r awduron Piwritanaidd oedd Morgan Llwyd (1619–59). Roedd y dylanwadau arno'n gyfuniad arbennig o'r hen a'r newydd. Trwy ei gefndir teuluol ym Meirionnydd, un o gadarnleoedd yr hen ddiwylliant, etifeddodd draddodiad llenyddol cyfoethog (perthynai i'r un teulu â'r bardd Huw Llwyd o Gynfal), a thrwy ei addysg yn Wrecsam, tref a oedd yn agored iawn i ddylanwadau newydd o Loegr, profodd dröedigaeth grefyddol dan ysbrydoliaeth y Piwritan Walter Cradock. Gwasanaethodd fel caplan gyda byddin y Senedd yn ystod y Rhyfel Cartref, a chafodd y radicaliaeth grefyddol a gwleidyddol oedd yn cyniwair ymhlith y milwyr effaith fawr arno, yn enwedig y gred bod Crist ar fin dychwelyd i'r byd. Ysgrifennodd ei dri llyfr cyntaf yn 1653, yn ystod cyfnod y Weriniaeth, pan oedd Senedd y Saint wedi'i ddarbwyllo bod y mileniwm ar gychwyn, a rhoddai ei ymwybyddiaeth o fyw mewn oes eithriadol naws arbennig o gynhyrfus i'w holl waith. Roedd Morgan Llwyd yn un o awduron dwyieithog cyntaf Cymru (fe'i hadwaenid gan y Saeson fel Floyd), a chyhoeddodd dri llyfr yn Saesneg, ond yn y Gymraeg y mae ei weithiau gorau, wedi'u hysbrydoli gan ei bryder am gyflwr ysbrydol ei bobl ei hun, ac

Morgan Llwyd

Y Stafell Ddirgel

Colomen. Mae llawer o leisiau yng nghalon dyn. Mae sŵn y byd a'i newyddion, a'i drafferthion, a'i bleserau, a'i ddychryniadau. Mae hefyd o'r tu fewn i stafell y galon sŵn meddyliau, ac annhymerau, a llanw a thrai cnawd a gwaed. Ac fel hyn y mae'r enaid truan (fel llety'r meddwon) yn llawn dwndwr oddi fewn, y naill chwant yn ymgoethi â'r llall, neu fel ffair neu farchnad fawr lle y mae trwst a siarad a bloddest yn llenwi heolydd y dref oddi fewn. Dyma'r achos na ŵyr dyn hanner ei feddyliau ei hun, ac nad yw fo yn clywed yn iawn beth y mae ei galon ef ei hun yn ei ddywedyd.

Eryr. Ond pa fodd y mae i feddwl dyn gael llonydd?

Colomen. Wrth fynd i mewn i'r stafell ddirgel: a'r stafell honno yw Duw ei hunan o'r tu fewn. Ond tra fych di yn gadel i'r meddwl redeg allan drwy'r llygaid a'r synhwyrau, neu yn edrych oddi fewn ar luniau a delwau y peth a welaist neu a gofiaist, mae'r meddwl fel Lot yn gadel ei dŷ i ymresymu â'r Sodomiaid, nes i Ysbryd Duw dy gipio di i mewn i ymddiddan â Duw yn stafell y galon. A thra fo'r meddwl fel hyn o'r tu allan, mae diafol o'r tu fewn yn rhwystro y meddyliau i ddychwelyd i mewn i Dduw: ac felly mae'r enaid truan yn rhodio oddi cartref, yn gweled, ac yn chwennych, y naill beth a'r llall oddi allan, heb weled pa fath Dduw sydd oddi fewn.

(O *Llyfr y Tri Aderyn*, 1653)

awydd i'w deffro o'u trymgwsg, fel y dengys dau o'r teitlau: *Llythur ir Cymru Cariadus*, a *Gwaedd ynghymru yn wyneb pob cydwybod*.

Gwaith pwysicaf Morgan Llwyd yw *Llyfr y Tri Aderyn* (1653), sydd ar ffurf ymddiddan rhwng eryr, colomen, a chigfran. Mae arwyddocâd symbolaidd y tri aderyn yn ddigon clir – yr eryr yn cynrychioli awdurdod seciwlar (efallai Oliver Cromwell ei hun), y golomen y saint Piwritanaidd, a'r gigfran y sefydliad Anglicanaidd. Dadl fywiog rhwng y tri yw traean cyntaf y llyfr, lle mae'r golomen yn datgelu sinigiaeth fydol y gigfran, ac ar ôl i honno hedfan i ffwrdd mae'r golomen yn egluro dirgelion yr ysbryd i'r eryr. Dylanwad pwysig ar Forgan Llwyd oedd y cyfrinydd Almaeneg Jacob Boehme, a syniad allweddol a gafodd ganddo ef oedd y gred bod Duw yn bresennol ym mhob enaid unigol, a bod rhaid nesáu ato trwy broses o droi tuag i mewn i'r hunan. Defnyddia Llwyd gyfoeth o ddelweddaeth drosiadol i fynegi bywyd mewnol yr ysbryd, ac mae ei amgyffrediad o seicoleg profiadau crefyddol yn dreiddgar tu hwnt. Un arall o'i gryfderau mawr yw ei feistrolaeth dros rythm iaith, sy'n amrywio o rethreg angerddol y pregethwr i fyfyrdod tawel y cyfrinydd, ac yn tynnu'r darllenydd i mewn i ddrama ysbrydol ei waith.

Daeth cyfnod mwyaf cyffrous y llenyddiaeth Biwritanaidd i ben gydag adfer y frenhiniaeth yn 1660, ond bu gofal dros eneidiau'r Cymry yn ysgogi Piwritaniaid i gyhoeddi am flynyddoedd wedi hynny. Bu Stephen Hughes yn ddiflino yn y gwaith o gyhoeddi llyfrau buddiol ar ran yr Ymddiriedolaeth Gymreig (rhagflaenydd y Gymdeithas er Taenu Gwybodaeth Gristnogol). Un o'i gydweithwyr oedd Charles Edwards (1628–91?), awdur clasur rhyddiaith o'r enw *Y Ffydd Ddiffuant*, a ddatblygodd dros dri argraffiad rhwng 1667 a 1677 yn waith cynhwysfawr mewn tair adran yn ymdrin â hanes y ffydd Gristnogol yn y byd, hanes moesol y Cymry (gan gynnwys fersiwn talfyredig o *De Excidio Britanniae* Gildas), a chyflwr ysbrydol yr unigolyn o Gymro. Roedd Edwards yn fwy rhesymegol ei anian na Morgan Llwyd, ond roedd gan y ddau yr un ddawn i oleuo syniad trwy ddelwedd. Mae ei waith yn arwyddocaol iawn am ei fod yn fynegiant o'r gred ddylanwadol mai pobl etholedig Duw oedd y Cymry.

Y canu rhydd

Defnyddir y term 'canu rhydd' mewn cyferbyniad â'r canu caeth. Mae mesurau'r canu rhydd yn rhai digon cymhleth, a'r gwahaniaeth diffiniol rhwng y ddau fath o ganu yw'r ffaith nad yw'r gynghanedd yn angenrheidiol yn y canu rhydd (er ei bod yn cael ei defnyddio fel addurn mewn rhai cerddi'n seiliedig ar donau Seisnig). Mae'n debyg bod y canu rhydd yn hŷn na'r Dadeni, a bod cerddi megis rhigymau digrif Robin Clidro (*fl.* 1545–80) yn perthyn i draddodiad canoloesol, fel yr hen benillion a drafodir isod, ond yn sicr fe flodeuodd y defnydd o'r mesurau rhydd yn ystod cyfnod y Dadeni, ac fe'i hyrwyddwyd gan y dyneiddwyr fel ffordd o agor y grefft farddol i amaturiaid.

Fel yn Lloegr a gwledydd eraill yng nghyfnod y Dadeni, ystyrid llunio cerddi serch yn un o gampau'r bonheddwr diwylliedig, ac mae nifer o gerddi wedi goroesi gan uchelwyr Cymru, megis y milwr Richard Hughes o Gefn Llanfair (m. 1618) a fu'n gwasanaethu yn y llys brenhinol. Ar y llaw arall, roedd naws amhersonol y canu rhydd (o'i gymharu â'r berthynas bersonol rhwng y bardd mawl a'i noddwr) yn ei wneud yn gyfrwng perffaith ar gyfer sylwebaeth gymdeithasol. Y gerdd brotest gynharaf yn y Gymraeg yw'r penillion dienw sy'n cwyno am dorri Coed Glyn Cynon yn danwydd ar gyfer y gweithfeydd haearn newydd yn yr unfed ganrif ar bymtheg. Y bardd mwyaf toreithiog a chelfydd yn y mesurau rhydd oedd Huw Morus (1622–1709), Brenhinwr cadarn a lynodd wrth yr hen ddelfrydau yn ei ganu cymdeithasol. Huw Morus a ddatblygodd y defnydd o gynghanedd mewn mesurau ag aceniad rheolaidd, ac mae'i gerddi serch a'i garolau tymhorol yn hyfryd i'r glust, er braidd yn ddisylwedd. Ei gerdd fwyaf nodedig yw ei farwnad i Barbara Miltwn ar ddull ymddiddan rhwng y byw a'r marw.

Prif bwnc y canu rhydd yn oes y Diwygiad oedd crefydd. Defnyddiwyd cerddi gan y Protestaniaid a'r Catholigion fel cyfrwng effeithiol i bregethu egwyddorion y ffydd Gristnogol i'r werin. Yr esiampl fwyaf adnabyddus yw penillion moeswersol Rhys Prichard (1579–1644), ficer Llanymddyfri, a fu'n hynod boblogaidd ar lafar ac a gyhoeddwyd ar ôl ei farwolaeth gan Stephen Hughes yn y casgliad *Canwyll y Cymry*. Byddai rhai o feirdd y canu caeth weithiau'n dewis canu ar y mesurau rhydd er mwyn ymryddhau rhag caethiwed y gynghanedd, er enghraifft Edmwnd Prys yn ei fersiwn mydryddol o'r Salmau, *Salmau Cân* (1621), a ddefnyddir o hyd ar gyfer canu cynulleidfaol. Cafwyd cerddi crefyddol o fath mwy personol ac awgrymus gan y Piwritan Morgan Llwyd. Dylid cofio mai Cymry oedd dau o feirdd crefyddol mwyaf ysgol y Metaffisegwyr Saesneg, sef George Herbert a Henry Vaughan. Roedd Vaughan yn Gymro Cymraeg, ac er ei fod yn perthyn i'r diwylliant Seisnig a grëwyd gan y Deddfau Uno, gwyddai am draddodiadau ei genedl a thynnai lawer o'i ysbrydoliaeth oddi wrth dirwedd ei fro enedigol yn Nyffryn Wysg.

Un math o ganu rhydd na ddylanwadwyd arno o gwbl gan ddysg y Dadeni oedd yr hen benillion gwerinol, sef penillion syml o bedair llinell a adroddid i gyfeiliant telyn. Traddodwyd y rhain ar dafod leferydd yn wreiddiol, ac fe'u casglwyd wrth eu cannoedd o ddiwedd yr ail ganrif ar bymtheg ymlaen, ond perthyn rhai i'r unfed ganrif ar bymtheg, ac yn ôl pob tebyg mae'r traddodiad yn mynd yn ôl i'r Oesoedd Canol. Er eu bod yn sôn am deimladau personol iawn yn aml, maent yn ddienw bron yn ddieithriad, ac yn ymdrin â phrofiadau cyffredin y ddynoliaeth. Fe geir safbwynt benywaidd mewn llawer ohonynt, ac fe ymddengys fod merched yn barotach i ddefnyddio'r hen benillion na'r canu caeth. Mae grym emosiynol rhyfeddol yn rhai o'r penillion cynnil ac awgrymog hyn, ac mae lleisiau'r beirdd anhysbys yn dal i lefaru'n groyw dros y canrifoedd.

Hen Benillion

Mynd i'r ardd i dorri pwysi,
Pasio'r lafant, pasio'r lili,
Pasio'r pincs a'r rhosys cochion,
Torri pwysi o ddanadl poethion.

* * *

Tebyg ydyw'r delyn dyner
I ferch wen a'i chnawd melysber;
Wrth ei theimlo mewn cyfrinach,
Fe ddaw honno'n fwynach, fwynach.

* * *

Mae 'nghariad i 'leni fel gwynt o flaen glaw,
Yn caru'r ffordd yma a charu'r ffordd draw.
Ni châr cywir galon yn gariad ond un;
Y sawl a gâr lawer gaiff fod heb yr un.

* * *

Geneth wyf sydd ar y dibyn,
Gerddodd lawer llwybr anhydyn;
Ac er hawsed imi dripio,
Mi rof fy nhroed ar wastad eto.

* * *

Tri pheth sy'n anodd imi,
Cyfri'r sêr pan fo hi'n rhewi,
Rhoi fy llaw ar gwr y lleuad,
A gwybod meddwl f'annwyl gariad.

6 Y Ddeunawfed Ganrif

Gweledigaetheu y Bardd Cwsc

Roedd Ellis Wynne (1671–1734) o'r Lasynys ger Harlech yn ŵr gradd o Goleg yr Iesu, Rhydychen, a threuliodd ei fywyd yn offeiriad plwyf yn ei fro ei hun. Gellir ei osod yn nhraddodiad cyfieithwyr Anglicanaidd yr ail ganrif ar bymtheg, gan iddo gyhoeddi fersiwn Cymraeg o lyfr Jeremy Taylor, *The Rule and Exercises of Holy Living*, yn 1701. Ond mae'i enw fel awdur gwreiddiol yn seiliedig ar lyfr gwahanol iawn, *Gweledigaetheu y Bardd Cwsc* a gyhoeddwyd yn 1703. Yr un oedd amcan y ddau lyfr, sef gwella moesau ei bobl, ond yn y *Gweledigaetheu* ceisiai wneud hynny trwy gyflwyno darlun dychanol o'u pechodau. Hyd yn oed yn ei gampwaith dilynodd Ellis Wynne arfer yr oes trwy addasu yn hytrach na chreu o'r newydd, a thynnodd ar ddau fersiwn Saesneg o waith dychanol Sbaeneg, *Los Sueños* gan Quevedo (1627). Ei gyfraniad gwreiddiol ef oedd trosglwyddo'r dychan i gyd-destun Cymreig a chryfhau ei ergyd foesol trwy drefnu'r breuddwydion yn ddilyniant cyson er mwyn amlygu hynt y pechaduriaid o'r byd hwn i'r nesaf.

Y tair gweledigaeth yw Cwrs y Byd (a gynrychiolir gan dair stryd mewn dinas dan reolaeth tair tywysoges, Balchder, Elw a Phleser), Angau yn ei Frenhinllys Isaf, ac Uffern. Arweinir y Bardd Cwsg gan angel sy'n esbonio iddo ystyr foesol y golygfeydd a wêl. Cyn iddo gwympo i gysgu mae'r Bardd wrthi'n edmygu'r byd mawr trwy sbienddrych, ond yn ystod y weledigaeth gyntaf mae'n dysgu dwy wers bwysig: bod golwg teg y byd yn cuddio'i lygredd moesol, a bod Ynys Prydain dan lywodraeth y frenhines Brotestannaidd Anne yn gadarnle'r wir ffydd mewn byd dieflig. Roedd Ellis Wynne yn Frenhinwr i'r carn, a chadwai'i ddychan mwyaf mileinig ar gyfer y rhai a fygythiai undod gwleidyddol a chrefyddol Prydain. Mae'i Lucifer yn ffigwr bwrlésg sy'n ei chael hi'n anodd cadw trefn ar rai o'r pechaduriaid dan ei ofal, yn enwedig Oliver Cromwell!

Rhan fawr o apêl gwaith Ellis Wynne i ddarllenwyr modern yw ei ddefnydd o iaith lafar Meirionnydd y ddeunawfed ganrif. Ond nid fel rhinwedd ynddi'i hun y defnyddiodd yr iaith honno, eithr fel ffordd o gyfleu ei ddirmyg tuag at wrthrychau'i ddychan. Un o'i gryfderau mawr yw'r gallu i amrywio'i ddull i gyd-fynd â'i fater, gan gynnwys rhethreg urddasol yn nhraddodiad awduron y Dadeni. Mae'r ansawdd gweledol yn ei waith yn gryf iawn, a chyflwyna weledigaeth lachar o fyd wedi'i boblogi gan gymeriadau cofiadwy o wrthun a baldorddus. At ei gilydd mae targedau penodol dychan Ellis Wynne yn amherthnasol heddiw, ac mae'i geidwadaeth annioddefgar a'i ragfarnau rhonc yn atgas, ond fe erys hwn yn un o glasuron mwyaf poblogaidd yr iaith oherwydd ei olygfeydd dramatig a'i ffraethineb deifiol.

Drych y Prif Oesoedd

Roedd Theophilus Evans (1693–1767) yn debyg i Ellis Wynne mewn sawl ffordd, yn offeiriad gwledig ac yn elyn ffyrnig i Anghydffurfiaeth a ymroddodd i hybu achos Anglicaniaeth trwy ei waith llenyddol. Ond saif ei waith pwysicaf, *Drych y Prif Oesoedd*, yn gadarn yn nhraddodiad dysg y dyneiddwyr, yn uchafbwynt ar hanesyddiaeth genedlaethol y Dadeni. Cafodd ei fagu yng Nghastellnewydd Emlyn, ac yn ddyn ifanc daeth dan ddylanwad cylch o ysgolheigion yn Nyffryn Teifi. Dim ond tair ar hugain oed ydoedd pan gyhoeddwyd

Ellis Wynne

Stryd Balchder

O ben y Murddyn yma'r oeddem yn cael digon o le, a llonydd i weled yr holl Stryd o'n deu-ty. Tai teg iawn, rhyfeddol o uchder, ac o wychder, ac achos da, o ran bod yno Ymerodron, Brenhinoedd a Thwysogion 'gantoedd, Gwŷr mawr a Bonheddigion fyrdd, a llawer iawn o Ferched o bob gradd; Gwelwn aml Goegen gorniog fel Llong ar lawn hwyl, yn rhodio megis mewn Ffrâm, a chryn Siop Pedler oi chwmpas, ac wrth eu chlustiau werth Tyddyn da o berlau: a rhai oedd yn canu i gael canmol eu llais, rhai'n dawnsio i ddangos eu llun, eraill oedd yn paentio i wellau eu lliw; eraill wrth y Drŷch er's teir-awr yn ymbincio, yn dyscu gwenu, yn symmud pinneu, yn gwneud munudie' ac ystumieu. Llawer mursen oedd yno, na wyddei pa sutt i agor ei gwefuseu i siarad, chwaethach i fwytta, na pha fodd o Wir ddyfosiwn i edrych tan ei thraed; a llawer Yscowl garpiog a fynnei daeru ei bod hi cystal Merch fonheddig a'r oreu 'n y Strŷd; a llawer yscogyn rhygyngog a allei ridyllio Ffâ wrth wynt ei gynffon.

(O *Gweledigaetheu'r Bardd Cwsc*)

argraffiad cyntaf ei *Drych* yn 1716, llyfr sy'n adrodd hanes y Cymry o Dŵr Babel hyd at farwolaeth Llywelyn y Llyw Olaf. Mae'r ail argraffiad a gyhoeddwyd yn 1740 yn waith aeddfetach gan chwedleuwr penigamp, sy'n defnyddio disgrifiadau byw a chyffelybiaethau epig i gyfleu drama fawreddog hanes. Tynnodd Theophilus Evans ar nifer o wahanol ffynonellau, a bu'i waith yn fodd i boblogeiddio sawl myth allweddol yn hanes Cymru, megis sefydlu'r genedl gan Gomer, ŵyr Noah (tarddiad honedig yr enw Cymro!), y cyswllt â Chaerdroia trwy Frutus, a brad arweinydd y Sacsoniaid, Hengist, a'i ferch Rhonwen. Nid oes i'w amgyffrediad o hanes y dyfnder moesol a geir gan Charles Edwards, ond nid oedd neb wedi cyfansoddi naratif mor fedrus yn y Gymraeg ers yr Oesoedd Canol.

Clasuriaeth newydd

Gellir gweld adfywiad clasurol y ddeunawfed ganrif fel parhad o ddelfrydau'r Dadeni, yn enwedig yr awydd i ddod â dysg glasurol i mewn i lenyddiaeth Gymraeg. Ond y gwahaniaeth allweddol yw bod cyfundrefn farddol yr Oesoedd Canol wedi darfod yn llwyr erbyn y ddeunawfed ganrif. Yn hytrach na diogelu neu drawsnewid hen draddodiadau, fel y ceisiai'r dyneiddwyr ei wneud, y dasg erbyn hyn oedd ail-greu traddodiadau darfodedig ar ffurf newydd. Bu clasuriaeth newydd y cyfnod Awgwstaidd yn Lloegr yn ddylanwad trwm ar awduron Cymru, a bu'r clasuron Groeg a Lladin yn fodelau iddynt hwy fel i'r Saeson, ond roedd gan y Cymry eu traddodiad barddol clasurol eu hunain, a buont yn astudio hwnnw'n frwd gyda chymorth y llawysgrifau a'r geiriaduron a luniwyd gan ysgolheigion y Dadeni. Roedd ystyr ddeublyg i'r term 'clasurol' yng Nghymru'r ddeunawfed ganrif, felly, gan gyfeirio at fodelau estron a brodorol. Yn ôl egwyddorion y glasuriaeth newydd, gweithgarwch cymdeithasol oedd llenyddiaeth, a'i phwrpas oedd rhoi mynegiant cain i wirioneddau a dderbynnid yn gyffredinol. Dibynnai ceinder y mynegiant ar reolau cyfansoddi cydnabyddedig. Roedd yr egwyddorion hynny'n cydfynd yn dda â phwyslais y traddodiad Cymraeg ar swyddogaeth gymdeithasol y bardd ac ar grefft cerdd dafod.

Yn y ddeunawfed ganrif y dechreuodd Llundain chwarae rhan bwysig ym mywyd llenyddol Cymru. Roedd y brifddinas wedi bod yn denu Cymry ers oes y Tuduriaid, ac yno'r oedd prif ganolfan cyhoeddi Cymraeg. Sefydlwyd dwy gymdeithas wladgarol yn Llundain i hybu'r diwylliant Cymreig (gyda phwyslais hynafiaethol pendant), sef y Cymmrodorion yn 1751 a'r Gwyneddigion yn 1770. Prif gychwynwyr Cymdeithas y Cymmrodorion oedd Morrisiaid Môn,

Portread o Lewis Morris.

tri brawd hynod eang eu diddordebau, Lewis, Richard a William. Roedd y tri'n llythyrwyr brwd, mewn oes a ystyriai'r llythyr yn ffurf lenyddol, ac yn eu llythyrau cleberllyd a dysgedig ceir darlun byw o fywyd diwylliannol y cyfnod. Y mwyaf llenyddol ei fryd o'r tri brawd oedd Lewis Morris (1701–65), bardd dawnus a luniai gerddi ysgafn er difyrrwch i'w ffrindiau'n bennaf, ac un a oedd yn gefnogol iawn i ddoniau barddol eraill. Ymhlith y rhai a fu dan ei adain roedd Edward Richard o Ystradmeurig (1714–77), a gofir am ei ddwy fugeilgerdd, Ieuan Fardd (Evan Evans, 1731–88), hynafiaethydd dysgedig ac awdur cyfres enwog o englynion yn myfyrio ar adfeilion llys Ifor Hael, a Goronwy Owen, bardd mwyaf y glasuriaeth newydd yng Nghymru.

Ganed Goronwy Owen ym Môn yn 1723, yn fab i dincer a oedd â rhyw grap ar y grefft farddol. Mae'n debyg i Goronwy ddysgu cynganeddu gan ei dad, ond ar ôl iddo dderbyn addysg glasurol yn Ysgol y Friars ym Mangor roedd ganddo ddelfrydau llenyddol mwy aruchel. Aeth yn ŵr eglwysig, ond ni lwyddodd i gael plwyf yng Nghymru, ac ar ôl blynyddoedd o dlodi fel curad yn Lloegr ymfudodd i America yn 1757, lle y bu farw yn 1769. Ysgrifennodd ei gerddi pwysig i gyd yn y chwe blynedd cyn iddo ymfudo. Nid yw swmp ei waith yn fawr, ac mae'i amcanion llenyddol a stori ramantus ei fywyd wedi bod yr un mor ddylanwadol â'i gerddi eu hunain, ond serch hynny fe lwyddodd i lunio rhai cerddi sy'n mynegi athroniaeth Gristnogol yn gofiadwy. Melltith ei yrfa lenyddol, a gyrfaoedd sawl cenhedlaeth o feirdd ar ei ôl, oedd ei uchelgais i gyfansoddi arwrgerdd gyffelyb i *Paradise Lost* John Milton. Sylweddolodd fod y mesurau caeth yn cyfyngu'n ormodol mewn cerdd faith, ond gan ei fod yn glynu wrth safonau cerdd dafod Gymraeg ni allai ddilyn Milton a defnyddio mesur diodl. O ganlyniad, y peth tebycaf i arwrgerdd a gafwyd ganddo oedd cywydd rhwysgfawr ychydig dros gant a hanner o linellau, yn llawn ieithwedd hynafol, am Ddydd y Farn. Hon yw ei gerdd enwocaf, yn anffodus, a chafodd ei hedmygu a'i hefelychu'n ormodol yn y bedwaredd ganrif ar bymtheg. Llawer mwy boddhaol yw'r cerddi syber a gloyw a ganodd ar thema Horasaidd y bywyd dedwydd, megis ei wahoddiad i gydaelod o Gymdeithas y Cymmrodorion i ymweld ag ef yn ei gartref ger Llundain, sy'n amlygu'i ddawn i lunio cwpledi diarhebol cofiadwy fel hwn:

> Diwedd sydd i flodeuyn,
> Ac unwedd yw diwedd dyn.

Un o'i gerddi mwyaf teimladwy yw'r awdl farwnad ffurfiol ond dwys a ganodd ar farwolaeth ei ferch ifanc yn 1755. Ei gerdd bwysicaf yw'r ail o ddau gywydd am Fôn a ganodd i ateb Huw Huws, y Bardd Coch. Er mai hiraeth am ei fro enedigol a'i hysbrydolodd, mae'n gosod ei deimladau personol yng nghyd-destun ehangach arfaeth Duw dros amser a thragwyddoldeb.

Goronwy Owen

O'r 'Cywydd yn Ateb y Bardd Coch o Fôn'

Pan ganer trwmp Iôn gwiwnef,
Pan gasgler holl nifer nef,
Pan fo Môn a'i thirionwch
O wres fflam yn eirias fflwch,
A'i thorrog wythi arian,
A'i phlwm, a'i dur, yn fflam dân,
Pa les cael lloches o'r llaid?
Duw ranno dŷ i'r enaid:
Gwiw gannaid dŷ gogoniant
Yng nghaer y sêr, yng nghôr sant.
Ac yno'n llafar ganu,
Eirian eu cerdd i'r Iôn cu,
Poed gwŷr Môn a Goronwy
Heb allel ymadel mwy.
Ac uned a llefed llu
Monwysion, Amen, Iesu.

Cafwyd gwedd newydd ar y diddordeb yn hanes a hynafiaethau Cymru yn y ddeunawfed ganrif. Tra oedd ysgolheictod hanesyddol y Dadeni yn fater o ymchwil am wirionedd gwrthrychol (traddodiad a gyrhaeddodd ei uchafbwynt pan gyhoeddwyd cyfrol gyntaf *Archaeologia Britannica* Edward Lhuyd yn 1707), roedd hynafiaethgarwch y ddeunawfed ganrif yn fwy creadigol, yn ymwneud â mythau a geisiai ail-greu'r genedl ar ddelwedd ramantaidd newydd. Hynafiaethwr mwyaf dyfeisgar y cyfnod, a'r mwyaf radicalaidd yn wleidyddol hefyd, oedd y saer maen Iolo Morganwg (Edward Williams, 1747–1826). Yn ogystal â chreu pasiant derwyddol yr Eisteddfod, treuliwyd llawer o egni a dychymyg rhyfeddol Iolo (dan ysgogiad y cyffur lodnwm) ar y gorchwyl o ddarparu i Forgannwg y dreftadaeth lenyddol liwgar y teimlai Iolo ei bod yn ei haeddu. Bu'i ddylanwad yn aruthrol, a derbyniwyd llawer o'i honiadau yn ddigwestiwn tan yr ugeinfed ganrif. Hawdd yw condemnio ei ffugiadau digywilydd, ond ni ddylid colli golwg ar ei weledigaeth greadigol a'i ddawn fel tafleisiwr llenyddol athrylithgar. Daeth gwyddor geiriaduraeth yn weithgarwch mwy creadigol hefyd diolch i gyfraniad William Owen

Pughe, a gyhoeddodd eiriadur yn 1803 yn cynnwys nifer fawr o eiriau a luniodd o'i ben a'i bastwn ei hun ar sail ei gred bod y Gymraeg yn tarddu'n uniongyrchol o iaith wreiddiol y patriarchiaid. Fel rhai Iolo Morganwg, bu ei syniadau mympwyol yn ddylanwadol dros ben, a rhoesant wedd artiffisial i lawer o'r Gymraeg a ysgrifennwyd yn y bedwaredd ganrif ar bymtheg.

Yr Eisteddfod

Cyfarfod o feirdd a cherddorion i roi trefn ar waith eu hurdd ac i gystadlu â'i gilydd oedd eisteddfod yn wreiddiol. Cynhaliwyd cyfarfodydd o'r fath yn achlysurol iawn yn yr Oesoedd Canol, a'r cynharaf y gwyddys amdano yw'r eisteddfod a fu dan nawdd yr Arglwydd Rhys yn Aberteifi yn 1176. Bu Eisteddfod Caerfyrddin tua chanol y bymthegfed ganrif yn gyfle i adolygu rheolau cerdd dafod (gw. pennod 4), ac roedd y ddwy eisteddfod a gynhaliwyd yng Nghaerwys yn 1523 a 1567 yn ymateb i'r argyfwng a wynebai'r gyfundrefn farddol wrth i'r Oesoedd Canol ddirwyn i ben. Wedi hynny dirywiodd eisteddfodau'r beirdd yn gyfarfodydd anffurfiol mewn tafarndai. Atgyfodwyd yr eisteddfod fel gŵyl gystadleuol dan nawdd Cymdeithas y Gwyneddigion yn 1789, ac yn y bedwaredd ganrif ar bymtheg cynhaliwyd Eisteddfodau Taleithiol mawr yn rheolaidd. Erbyn hynny roedd defodau derwyddol wedi'u cysylltu â'r eisteddfod dan ddylanwad Iolo Morganwg a'i gynulliad o'r enw 'Gorsedd Beirdd Ynys Prydain'. Yr eisteddfod gyntaf i'w chynnal ynghyd â gorsedd dderwyddol oedd yr un yn nhafarn y Llwyn Iorwg yng Nghaerfyrddin yn 1819, ac er 1858 mae'r Orsedd wedi bod yn rhan hanfodol o basiant yr ŵyl, er i ysgolheigion modern ddangos nad oes sail hanesyddol iddi. Datblygodd yr Eisteddfod Genedlaethol yn y 1860au, ac mae wedi cael ei chynnal yn flynyddol er 1881, gan chwarae rhan werthfawr trwy warchod safonau llenyddol, os ychydig yn geidwadol weithiau, a thrwy ddarparu llwyfan cenedlaethol i awduron Cymru trwy gyfrwng ei chystadlaethau barddoniaeth, rhyddiaith a drama. Y tu cefn i'r Eisteddfod Genedlaethol y mae rhwydwaith o eisteddfodau lleol sydd wedi gwneud llawer iawn i feithrin diddordeb mewn llenyddiaeth ymysg y werin. Mae'r Eisteddfod heddiw yn ŵyl fywiog ac amlweddog sydd yn ganolbwynt i'r diwylliant Cymraeg, yn draddodiadol ac yn flaengar, ac mae'n rhan hanfodol o fywyd llenyddol y genedl. Efallai fod ei chystadlaethau wedi bod yn gyfrifol am rai o ddiffygion llenyddiaeth Gymraeg ond, fel y gwelir yn y penodau canlynol, maent hefyd wedi ysgogi rhai o weithiau mwyaf arwyddocaol yr ugeinfed ganrif.

Diwylliant poblogaidd

Pan ddarfu'r gyfundrefn farddol broffesiynol tua diwedd yr ail ganrif ar bymtheg, ni ddiflannodd yr hen grefft o'r tir yn gyfan gwbl. Etifeddwyd ei helfennau hanfodol gan feirdd gwlad, yn ffermwyr neu'n grefftwyr gan amlaf. Cyflawnai'r rheini swyddogaeth gymdeithasol yr hen gyfundrefn ar raddfa leol trwy lunio cerddi ar achlysuron pwysig ym mywyd y gymuned, yn briodasau, yn farwolaethau, ac yn droeon trist neu drwstan. Roedd yr englyn unodl union yn dal i fod yn gyffredin, ond byddai'r cynganeddu'n amrwd weithiau. Esiampl dda o'r fath fardd yw tad Goronwy Owen, Owen Gronw o Fôn, ac mae'r gwahaniaeth rhyngddo ef a'i fab yn arwydd o'r rhaniad a ddigwyddodd yn y traddodiad barddol rhwng y poblogaidd a'r dysgedig. Parhaodd y ddwy elfen ochr yn ochr, weithiau'n gwrthdaro ac weithiau'n cydffrwythloni, i mewn i'r ugeinfed ganrif, ac mae'r ddeuoliaeth honno i'w gweld yn amlwg yn hanes yr Eisteddfod. Cyrhaeddodd traddodiad y bardd gwlad safon uchel iawn o gelfyddyd yng ngwaith Robert ap Gwilym Ddu (1766–1850), ffermwr a berthynai i gylch o feirdd yn sir Gaernarfon. Roedd yn englynwr penigamp, ac yn bwysig hefyd fel emynwr. Heblaw'r emyn a genir yng ngwasanaeth y cymun efallai, ei gerdd enwocaf yw ei awdl farwnad angerddol i'w ferch a fu farw o'r darfodedigaeth yn ddwy ar bymtheg oed yn 1834, cerdd y gellir olrhain ei thras trwy waith Goronwy Owen yn ôl i feirdd yr Oesoedd Canol megis Lewys Glyn Cothi.

Roedd baledi'n ddiddanwch poblogaidd, a byddai'r baledwyr yn eu canu mewn ffeiriau a'u gwerthu yn bamffledi wedyn, gan weithredu fel math o wasanaeth newyddion hefyd. Tonau Seisnig oedd iddynt gan amlaf, a byddai'r cynnwys yn amrywio o ryw i grefydd, ond y baledi mwyaf poblogaidd oedd y rhai am helyntion cyffrous y dydd fel llofruddiaethau a llongddrylliadau. Blodeuodd y faled yn y gogledd yn y ddeunawfed ganrif, a lledodd i'r de gyda'r Chwyldro Diwydiannol, lle'r adlewyrchodd y cyffro a achoswyd gan anesmwythyd

Robert ap Gwilym Ddu

'I'r Cystuddiol'

Pan fych mewn poen afiechyd – a phoethion
Effeithiau dy glefyd,
Cofia Grist yn dy dristyd,
A chwerw boen Iachawr y byd.

cymdeithasol a radicaliaeth yr oes. Roedd galw mawr am waith y baledwyr enwocaf, fel y telynor dall Richard Williams (Dic Dywyll), gŵr a fu'n barod ei lach ar anghyfiawnder cymdeithasol ac a chwaraeodd ran amlwg yn Nherfysgoedd Merthyr yn 1831. Lleihaodd poblogrwydd y baledi tua diwedd y bedwaredd ganrif ar bymtheg, wedi'i ladd gan barchusrwydd Fictoraidd a hefyd gan dwf y papurau newyddion. Ystyrir mai Abel Jones (y Bardd Crwst, 1829–1901) oedd yr olaf o'r baledwyr mawr.

Yr anterliwt

Math o ddramâu moes ar fydr oedd yr anterliwtiau, ac roeddynt yn boblogaidd iawn ymysg y werin yn y ddeunawfed ganrif, pan berfformid hwy gan gwmnïau bychain amatur yn teithio'r wlad, heb fawr mwy na chert yn llwyfan. Byddai'r stori sylfaenol yn un adnabyddus, o'r Beibl yn aml iawn, ac yn cydredeg â honno byddai castiau ffarsaidd dau gymeriad traddodiadol, y Ffŵl (â'i ffalws mawr) a'r Cybydd. Yr elfen o faswedd oedd yn bennaf cyfrifol am apêl yr anterliwtiau, mae'n debyg, ond roeddynt hefyd yn gyfrwng effeithiol ar gyfer moeswersi. Byddai'r ddau beth yn cael eu cyfuno yn y cyngor a roddid i'r merched yn y gynulleidfa, darn a fyddai'n rhybuddio rhag llacrwydd rhywiol ac ar yr un pryd yn ei ddisgrifio'n awgrymog iawn. Gallai'r anterliwt fod yn gyfrwng lleisio cwynion yn erbyn gorthrwm cymdeithasol hefyd, gan dargedu ffigyrau stoc fel y stiward a'r cyfreithiwr. Y mwyaf o'r anterliwtwyr oedd Twm o'r Nant (Thomas Edwards, 1738–1810) o sir Ddinbych, bardd ffraeth a chymeriad lliwgar, fel y gwelir o'i hunangofiant difyr. Goroesodd saith neu wyth o'i anterliwtiau, yn dyddio o 1758 ymlaen. Yn ei waith aeddfed, fel *Tri Chryfion Byd* a gyhoeddwyd yn 1789, gwelir difrifoldeb newydd yn yr anterliwt, gyda llawer llai o'r maswedd traddodiadol. Bu Anghydffurfiaeth yn ddylanwad positif ar waith Twm o'r Nant, gan ychwanegu sylwedd moesol i'w ddarlun o'i gymdeithas, ac mae hynny braidd yn eironig, oherwydd roedd yr anterliwt yn gwbl annerbyniol gan y Methodistiaid, fel llawer o arferion gwerin eraill, a'u condemniad moesol hwy oedd y rheswm pennaf am ei thranc yn gynnar yn y bedwaredd ganrif ar bymtheg.

Llenyddiaeth y Methodistiaid

Dechreuodd y mudiad Methodistaidd yng Nghymru gyda phregethu Howel Harris yn 1735, ac un o'i bregethau ef yn 1737 a achosodd dröedigaeth awdur mwyaf y Methodistiaid, William Williams (1717–91) o Bantycelyn yn sir Gaerfyrddin. Bu Williams Pantycelyn yn weithgar

Portread o William Williams Pantycelyn yn seiliedig ar fraslun a dynnwyd gan arlunydd amatur oddi ar ei gof.

iawn fel pregethwr teithiol ac fel trefnydd seiadau, ac yn ogystal â hynny aeth ati'n fwriadus i ddarparu llenyddiaeth i'r mudiad, yn enwedig gorff o emynau. Rhwng 1744 a 1787 cyhoeddodd wyth casgliad o emynau Cymraeg, a dau gasgliad yn Saesneg hefyd. Ei gyfrolau gorau yw'r rhai a oedd yn gysylltiedig â brwdfrydedd diwygiad Llangeitho yn 1762, sef *Caniadau y rhai sydd ar y Môr o Wydr* (1762) a *Ffarwel Weledig, Groesaw Anweledig Bethau* (1763). Yn y cerddi marwnad a luniodd i rai o arweinwyr y Methodistiaid, megis Howel Harris, rhoddir yr argraff bod Cymru mewn cyflwr o dywyllwch ysbrydol cyn dyfodiad Methodistiaeth, ac anwybyddir yr Anghydffurfwyr cynharach a fu'n braenaru'r maes. Cyfansoddodd ddwy gerdd epig hefyd, *Golwg ar Deyrnas Crist* (1756) sy'n disgrifio bydysawd Crist-ganolog yn ateb i wyddoniaeth Newton, a *Bywyd a Marwolaeth Theomemphus* (1764) sy'n disgrifio datblygiad ysbrydol yr unigolyn o golledigaeth i achubiaeth. Amcan ei lyfrau rhyddiaith niferus oedd rhoi arweiniad ysbrydol i dröedigion. Yn eu plith ceir llawlyfr ar briodas, *Ductor Nuptiarum neu Gyfarwyddwr Priodas* (1777), sy'n nodedig am ei ymdriniaeth agored â rhywioldeb. Mae'r cyferbyniad rhwng Williams Pantycelyn a'r clasurwr Goronwy Owen yn drawiadol, a'r Methodist toreithiog heb ei lyffetheirio o gwbl gan draddodiad na'r angen am fodelau ffurfiol neu ieithwedd briodol. Nid oedd gwerth llenyddol er ei fwyn ei hun yn cyfrif dim i Bantycelyn, ac eto mae i'w waith le cwbl ganolog yn hanes llenyddiaeth Gymraeg am ei fod yn rhoi mynegiant angerddol i fudiad ysbrydol a weddnewidiodd ddiwylliant y Cymry.

Y prif wahaniaeth rhwng y Methodistiaid cynnar a'r enwadau crefyddol eraill, boed yn Anglicaniaid neu'n Ymneilltuwyr (neu'n Fethodistiaid diweddarach a pharchusach), oedd eu pwyslais ar brofiad teimladol o grefydd. Y digwyddiad ysbrydol allweddol oedd y dröedigaeth, gydag anobaith yr ymwybyddiaeth o bechod yn cael ei ddilyn gan y llawenydd o sylweddoli gras achubol Crist. Roedd y llawenydd ei hun yn bwysig fel arwydd o achubiaeth, a byddai canu emynau'n gyfrwng mynegi'r llawenydd hwnnw, yn ogystal ag yn fodd i gryfhau'r rhwymau o brofiad cyffredin o fewn cymuned glòs o gredinwyr. Mae emynau Pantycelyn yn rhoi lle canolog i aberth Crist ar y groes, gan fabwysiadu safbwynt personol ac arddull lafar fywiog er mwyn dramateiddio'r berthynas rhwng yr unigolyn a Christ. Gwneir defnydd helaeth o ddelweddaeth Feiblaidd, yn enwedig daith yr Israeliaid trwy'r anialwch, sy'n cynrychioli bywyd y Cristion yn y byd hwn. Yr un broses ysbrydol hollbwysig a gyflwynir drosodd a thro, sef y troi oddi wrth bethau bydol tuag at Grist, a'r hiraeth am yr uno terfynol ag Ef.

Ceisiodd ail genhedlaeth y Methodistiaid gadarnhau cynnydd y ddeunawfed ganrif ac ymsefydlu'n enwad parchus a derbyniol. Rhoddwyd pwyslais mawr ar addysg, yn arbennig gan Thomas Charles (1755–1814), gŵr a wnaeth y Bala yn brif ganolfan Methodistiaeth

William Williams, Pantycelyn

'R wy'n edrych dros y bryniau pell
  Amdanat bob yr awr;
Tyrd, fy Anwylyd, mae'n hwyrhau,
  A'm haul bron mynd i lawr.

Trodd fy nghariadau i oll i gyd
  'N awr yn anffyddlon im,
Ond yr wyf finnau'n hyfryd glaf
  O gariad mwy ei rym!

Cariad na 'nabu plant y llawr
  Mo'i rinwedd nag o'i ras,
Ag sydd yn sugno'm serch a'm bryd
  O'r creadur oll i ma's.

O gwna fi'n ffyddlon tra fwy' byw,
  A'm lefel at dy glod;
Ac na fo pleser 'fynd â 'mryd,
  A welwyd is y rhod.

Tyn fy serchiadau yn gryno iawn
  Oddi wrth wrthrychau gau,
At yr un gwrthrych ag sydd fyth
  Yn ffyddlon yn parhau.

'D oes gyflwr tan yr awyr las
  'R wy' ynddo yn chwennych byw;
Ond fy hyfrydwch fyth 'gaiff fod
  O fewn cynteddau'm Duw.

Fe ddarfu blas, fe ddarfu chwant
  At holl bosïau'r byd;
Nid oes ond gwagedd heb ddim trai
  Yn rhedeg trwyddo 'gyd.

(O *Gloria in Excelsis*, 1772)

yn y Gogledd. O ran gwybodaeth am yr iaith a'r traddodiad llenyddol diau mai awdur pennaf y genhedlaeth hon oedd Thomas Jones (1756–1820), a gyhoeddodd hunangofiant yn 1814 sy'n gofnod ysbrydol o bwys. Rhyddieithwr gwych arall oedd Robert Jones, Rhos-lan (1745–1829). Roedd ei lyfr ar hanes Methodistiaeth yng Nghymru, *Drych yr Amseroedd* (1820), yn gyfraniad sylweddol tuag at ddatblygu hunaniaeth newydd y Cymry fel cenedl Anghydffurfiol.

Parhaodd emynau'n wedd bwysig ar farddoniaeth Gymraeg trwy gydol y bedwaredd ganrif ar bymtheg, ac mae gwaith emynwyr megis Dafydd Jones o Gaeo, Morgan Rhys, a Thomas William Bethesda'r Fro yn dal i fod yn boblogaidd hyd heddiw. Ond heblaw Williams Pantycelyn, yr unig emynydd a ddarllenir yn gyffredin fel llenyddiaeth yw Ann Griffiths (1776–1805) o Ddolwar-fach ym mhlwyf Llanfihangel-yng-Ngwynfa, sir Drefaldwyn. Ffermwyr cefnog oedd ei theulu, a phan oedd yn ferch ifanc mwynhaodd Ann ddiwylliant gwerinol y fro, y dawnsio a'r canu penillion. Yn sgil diwygiad nerthol yn yr ardal, cafodd dröedigaeth yn ugain oed ac ymunodd â'r Methodistiaid gyda gweddill ei theulu. Priododd yn 1804, ond bu farw'r flwyddyn ganlynol yn fuan ar ôl geni plentyn. Mynegiant o'i phrofiadau ysbrydol personol oedd ei hemynau, ac ni fwriadwyd hwy ar gyfer canu cynulleidfaol. Ychydig ohonynt a roddwyd ar glawr ganddi hi, ond cofnodwyd nifer ar ôl ei marwolaeth oddi ar gof ei morwyn anllythrennog, Ruth Evans, ac fe'u cyhoeddwyd am y tro cyntaf yn 1806. Perthyn gwaith Ann Griffiths i draddodiad yr emyn Methodistaidd sy'n seiliedig ar ddelweddaeth Feiblaidd ac yn tystio i afael gadarn ar ddiwinyddiaeth Galfinaidd, ond mae'i hemynau'n nodedig am ddwyster ac eglurder eu gweledigaeth ysbrydol ac am eu mynegiant beiddgar o baradocsau'r ffydd Gristnogol. Mae'r gymhariaeth amlwg ag emynau Pantycelyn yn tueddu i wyrdroi'r cyferbyniad ystrydebol rhwng y deall gwrywaidd a'r emosiwn benywaidd, gan fod y teimlad angerddol yn ei gwaith dan reolaeth gwrthrychedd deallusol rhyfeddol. Ond awydd llywodraethol ei hemynau yw'r dyhead am undod llwyr â Christ, a diau bod y ffordd yr oedd ei marwolaeth gynnar fel petai'n cyflawni'r dyhead hwnnw yn rhannol gyfrifol am ei statws aruchel yn y diwylliant Anghydffurfiol. Yn draddodiadol mae Ann Griffiths wedi sefyll ar ei phen ei hun fel yr unig awdures o bwys yn y Gymraeg cyn yr ugeinfed ganrif, ond mae ymchwil ddiweddar wedi darganfod nifer o ferched a esgeuluswyd (yn enwedig Gwerful Mechain yn y bymthegfed ganrif), ac mae trosglwyddiad bregus emynau Ann yn awgrymu tynged cerddi llawer o ferched yn y cyfnod hwnnw.

7 *Oes Fictoria*

Roedd y bedwaredd ganrif ar bymtheg yn gyfnod cynhyrchiol dros ben o ran cyhoeddi yn y Gymraeg, ond braidd yn anwastad oedd y safonau llenyddol. Bu cynnydd mawr yn nifer y darllenwyr, yn bennaf oherwydd dylanwad Anghydffurfiaeth a'r ymgyrch i hyrwyddo llythrennedd trwy'r Ysgolion Sul. Cafodd y Chwyldro Diwydiannol effaith lesol ar y diwylliant Cymraeg, ar y cychwyn o leiaf, trwy greu cymunedau mawr Cymraeg eu hiaith yn y de a'r gogledd, a fu'n fodd i gynnal gwasg gyfnodol lewyrchus. Yn hyn o beth mae hanes y Gymraeg yn wahanol iawn i'r Wyddeleg a'r Llydaweg, a arhosodd yn ieithoedd cymunedau gwledig gwasgaredig. Ond fe fu agwedd negyddol ar ddylanwad y capeli a diwydiant hefyd, yn yr ystyr eu bod wedi peri i'r diwylliant Cymraeg golli cyswllt â thraddodiadau'r gorffennol, p'un ai'n fwriadol fel yn achos gwrthwynebiad y Methodistiaid i'r hen arferion gwerin, neu'n anuniongyrchol yn ganlyniad i symudiadau poblogaeth i ffwrdd o'r ardaloedd gwledig. Erbyn oes Fictoria roedd Anghydffurfiaeth wedi peidio â bod yn rym ysbrydol radicalaidd ac wedi datblygu'n sefydliad gormesol a gynhyrchodd lenyddiaeth lethol o barchus a phietistaidd. *Genre* mwyaf nodweddiadol yr oes oedd y cofiannau i bregethwyr, cyfrolau pwysfawr yn dyrchafu arwyr newydd y werin. Sefydliad blaenllaw arall ym mywyd llenyddol Cymru oedd yr eisteddfod, ac roedd dylanwad hon yn ddeublyg, yn cymell y beirdd i gynhyrchu'n doreithiog ac yn sicrhau enwogrwydd iddynt, ond hefyd yn hybu ysbryd cystadleugar afiach a welai ennill gwobrau yn brif bwrpas llenydda.

Barddoniaeth eisteddfodol

Ysbrydolwyd llawer o gynnyrch barddol eisteddfodau'r bedwaredd ganrif ar bymtheg gan ddelfryd Goronwy Owen o'r arwrgerdd Gristnogol. Tra oedd problemau technegol canu cerdd hir ar y mesurau caeth yn rhwystr mawr i Goronwy, aeth beirdd diweddarach ati'n ddibryder i gyfansoddi awdlau hirfaith ar gyfer cystadlaethau'r Gadair, llawer ohonynt ar bynciau haniaethol didactig fel 'Gwirionedd', neu am ddigwyddiadau hanesyddol cyffrous fel Brwydr Trafalgar. Ar ei gwaethaf mae'r farddoniaeth eisteddfodol hon yn gwbl ddiwerth; yn hirwyntog, yn rhwysgfawr ac yn fecanyddol. Ond ar ei gorau mae'n arddangos grym ewyllys aruthrol, ac ambell ddisgrifiad trawiadol. Yr

Braslun o Eisteddfod Genedlaethol Aberystwyth 1865 o'r Illustrated London News.

uchaf ei bri o'r awdlau eisteddfodol yw 'Dinistr Jerusalem' Eben Fardd (Ebenezer Thomas, 1802–63). Un ar hugain oed oedd Eben pan luniodd yr awdl honno; daliodd i gystadlu mewn eisteddfodau am weddill ei oes, ond ni chyrhaeddodd yr un safon fyth eto. Yn yr ugeinfed ganrif, cychwyn ar yrfa bardd yw llwyddiant eisteddfodol gan amlaf; yn y bedwaredd ar bymtheg llwyddiant eisteddfodol fyddai uchafbwynt ei yrfa.

Tua chanol y bedwaredd ganrif ar bymtheg bu tipyn o drafod ar werth cymharol yr awdl gaeth a'r bryddest yn y mesurau rhydd. Ar un adeg bu cystadleuaeth y Gadair yn agored i'r ddau fath o gerdd, ond yn 1867 sefydlwyd cystadleuaeth ar wahân ar gyfer y canu rhydd, a chynigiwyd y Goron i awdur y bryddest fuddugol, fel y gwneir hyd heddiw. Rhoddai'r bryddest fwy o ryddid i ddatblygu themâu diwinyddol, a bu dylanwad Milton yn drwm ar y beirdd. Efallai mai'r orau o'r pryddestau hyn yw 'Iesu' gan Golyddan (John Robert Pryse, 1840–62), cerdd a esgeuluswyd ar y pryd am iddi fethu ag ennill yn yr Eisteddfod Genedlaethol yn 1860, ond a ystyrir bellach yn un o gerddi mawr y ganrif. Mae maint y pryddestau hyn yn debyg o ddychryn y darllenydd modern, ond mae eu hyd yn nodweddiadol o uchelgais yr oes. Rhaid rhoi'r wobr am gerdd hwyaf yr iaith (ac un o'r rhai gwaethaf hefyd) i *Emmanuel* Gwilym Hiraethog, cerdd ʊ 22,000 o linellau a gyhoeddwyd yn ddwy gyfrol yn 1861 a 1867.

Ar ôl ymdrechu gydag epigau llafurus yr eisteddfod, braf yw troi at gynildeb celfydd yr englyn. Defnyddiwyd amryw fathau o englynion ers cyfnod yr hengerdd, ond yng nghyfnod Beirdd yr Uchelwyr dechreuwyd trin yr englyn unodl union fel cerdd gyflawn ynddi'i hun, ac mae'r mesur hwnnw wedi bod yn un o gryfderau mawr cerdd dafod Gymraeg byth oddi ar hynny. Pan sonnir am englyn heddiw, yr englyn unodl union a olygir fel rheol. Yn y bedwaredd ganrif ar bymtheg bu'r englyn yn boblogaidd ymhlith y beirdd gwlad, a chafwyd amrywiaeth o gerddi cymen gan englynwyr medrus fel Trebor Mai (Robert Williams, 1830–77; mae'i enw barddol yn datgelu'i enw bedydd o'i ddarllen am yn ôl) a Dewi Havhesp (David Roberts, 1831–84), heb anghofio beirdd hŷn fel Robert ap Gwilym Ddu a oedd yn dal i ganu tan ganol y ganrif.

Y delyneg

Safbwynt amhersonol a geir yn y farddoniaeth eisteddfodol bron yn ddieithriad, fel ym mhrif ffrwd y canu mawl dros y canrifoedd. Roedd teimlad personol yn llawer mwy amlwg yn yr hen benillion gwerinol ac yn yr emynau Methodistaidd, fel y gwelwyd eisoes, a'r rheini oedd y seiliau ar gyfer barddoniaeth delynegol y bedwaredd ganrif ar bymtheg, ynghyd â rhywfaint o ddylanwad o du Rhamantwyr Lloegr. Arloeswyr y delyneg Gymraeg oedd Ieuan Glan Geirionydd (Evan Evans, 1795–1855) ac Alun (John Blackwell, 1797–1841), y ddau'n esiamplau o'r offeiriaid Anglicanaidd a wnaeth gyfraniad enfawr i'r diwylliant Cymraeg yn hanner cyntaf y bedwaredd ganrif ar bymtheg. Mae gwaith Ieuan Glan Geirionydd yn cynrychioli rhychwant eang barddoniaeth y cyfnod, gan gynnwys awdlau eisteddfodol yn y dull arwrol, cywydd mwy llwyddiannus yn myfyrio ar y bedd, rhai emynau campus, a thelynegion gloyw, a'r cwbl yn mynegi athroniaeth stoicaidd yn wyneb breuder bywyd. Ieuan oedd un o'r beirdd Cymraeg cyntaf i werthfawrogi harddwch mynyddoedd Cymru, fel yr oedd arlunwyr a theithwyr wedi bod yn ei wneud er y ddeunawfed ganrif. Nodwedd ar waith Alun a rhai o delynegwyr eraill oes Fictoria yw'r darlun delfrydol o'r wraig ffyddlon, ac fe ddaeth y duedd honno'n fwy amlwg byth yn ail hanner y ganrif mewn ymateb i'r feirniadaeth ar foesau merched Cymru yn adroddiad y Llyfrau Gleision yn 1847.

Bardd telynegol pwysicaf oes Fictoria oedd John Ceiriog Hughes (1832–87) o Ddyffryn Ceiriog. Bu Ceiriog yn gweithio ym Manceinion am ugain mlynedd, a chafodd ei ysgogi gan gwmni cylch o feirdd

Alun

'Cathl i'r Eos'

Pan guddio nos ein daear gu
  O dan ei du adenydd
Y clywir dy delori mwyn,
  A chôr y llwyn yn llonydd;
Ac os bydd pigyn dan dy fron
  Yn peri i'th galon guro,
Ni wnei, nes torro'r wawrddydd hael,
  Ond canu, a gadael iddo.

A thebyg it yw'r feinir wâr
  Sydd gymar gwell na gemau:
Er cilio haul a hulio bro
  Â miloedd o gymylau,
Pan dawo holl gysurwyr dydd,
  Hi lyna yn ffyddlonaf;
Yn nyfnder nos o boen a thrais
  Y dyry lais felysaf.

Er dichon fod ei chalon wan
  Yn delwi dan y dulid,
Ni chwyna, i flino'i hannwyl rai,
  Ei gwên a guddia'i gofid;
Ni pheidia'i chân trwy ddunos faith,
  Nes gweled gobaith golau
Yn t'wynnu, megis llygad aur,
  Trwy bur amrantau'r borau.

Cymraeg yno i ddechrau ysgrifennu barddoniaeth yn lleisio ei hiraeth am Gymru wledig ei febyd. Daeth ei gerddi'n hynod boblogaidd, a chyhoeddwyd chwe chyfrol ganddo yn y 1860au. Ei waith mwyaf adnabyddus yw'r fugeilgerdd 'Alun Mabon', dilyniant o ganeuon yn darlunio bywyd syml y tyddynnwr a'i briodas ddedwydd. Un rheswm am apêl boblogaidd cerddi Ceiriog yw ei ddawn i lunio geiriau i gyd-fynd ag alawon traddodiadol. Cyfansoddwyd y mwyafrif o'i gerddi fel caneuon i'w perfformio mewn neuaddau cyngerdd a pharlyrau, ac mae nifer yn dal i fod yn boblogaidd heddiw oherwydd eu dull soniarus, er enghraifft 'Nant y Mynydd'. Ond rheswm mwy hanfodol dros ei boblogrwydd oedd y ffaith ei fod yn cynnig delwedd sentimental o Gymru lân, gwlad y gân, a oedd wrth fodd calon y dosbarth canol newydd, llawer ohonynt yn alltudion wedi ymfudo i ddinasoedd Lloegr ac America yn oes y rheilffordd (mae'n hynod briodol mai i gwmni rheilffordd y gweithiai Ceiriog ym Manceinion). Trawiadol yw'r cyferbyniad rhwng y darlun delfrydol hwnnw a'i ffantasi dychanol yn gwawdio diwylliant yr eisteddfod, *Gohebiaethau Syr Meurig Grynswth* (1856–8). Amlyga gwaith Ceiriog yr hollt ddofn ym meddylfryd y Cymry rhwng materoliaeth bengaled oes Fictoria, a ymuniaethai â grym y Saesneg, a'r ymlyniad calon-dyner wrth Gymru, a oedd yn gyfyngedig i'r wedd deimladol heb unrhyw ran mewn materion ymarferol. Daeth yr hollt honno i'r amlwg ym mywyd Ceiriog ei hun hefyd, oherwydd er gwaetha'r hiraeth a fynegai yn ei farddoniaeth yr oedd yn berffaith hapus ym Manceinion, ond pan benderfynodd wireddu ei ddelfrydau llenyddol a dychwelyd i Gymru yn 1868 fel gorsaf-feistr yn Llanidloes cafodd ei siomi'n ddirfawr gan realiti'r bywyd gwledig. Gwelai eisiau cymdeithas ddosbarth canol y ddinas, ac aeth yn gaeth i'r ddiod gadarn ym mlynyddoedd olaf ei fywyd.

John Ceiriog Hughes

'Aros a Myned'

Aros mae'r mynyddau mawr,
  Rhuo trostynt mae y gwynt;
Clywir eto gyda'r wawr
  Gân bugeiliaid megis cynt.
Eto tyf y llygad dydd
  O gylch traed y graig a'r bryn,
Ond bugeiliaid newydd sydd
  Ar yr hen fynyddoedd hyn.

Ar arferion Cymru gynt
  Newid ddaeth o rod i rod;
Mae cenhedlaeth wedi mynd
  A chenhedlaeth wedi dod.
Wedi oes dymhestlog hir
  Alun Mabon mwy nid yw,
Ond mae'r heniaith yn y tir
  A'r alawon hen yn fyw.

Islwyn

Ym marddoniaeth Islwyn (William Thomas, 1832–78) daeth dau o gymhellion mwyaf y bedwaredd ganrif ar bymtheg at ei gilydd, sef crefydd a Rhamantiaeth. Cafodd Islwyn ei fagu ger pentref Ynys-ddu yng Ngwent, a Saesneg oedd ei iaith gyntaf, ond gwirionodd ar farddoniaeth Gymraeg. Profodd dröedigaeth grefyddol yn ddyn ifanc ac aeth yn bregethwr gyda'r Methodistiaid. Digwyddiad allweddol yn ei fywyd oedd marwolaeth sydyn ei ddyweddi, Anne Bowen, yn 1853. Mewn ymateb i'r argyfwng emosiynol hwnnw y cyfansoddodd ei waith mawr dros gyfnod o dair blynedd, dwy gerdd o ryw chwe mil o linellau'r un, â'r teitl 'Y Storm'. Ni chyhoeddwyd 'Y Storm' yn llawn yn ystod bywyd Islwyn; detholiad yn unig sydd yn y gyfrol *Caniadau* (1867). Cymysgwyd y ddwy gerdd mewn argraffiadau diweddarach, a hyd yn hyn y gyntaf yn unig sydd ar gael mewn testun boddhaol. Mae'n amlwg bod tirlun mynyddig ei fro yn ysbrydoliaeth i Islwyn, ac eto hanfod ei ddull barddol yw'r gred nad yw pethau materol ond yn gysgodion o sylweddau ysbrydol. Ei osodiad enwocaf, ac un cwbl nodweddiadol o'i ffordd o weld y byd, yw 'Mae'r oll yn gysegredig'. Mae'r stormydd a ddisgrifir gyda manylder dramatig yn rhai naturiol ac yn rhai ffigurol ar yr un pryd, tywydd mewnol yr enaid ar ei daith drwy fywyd. Adlewyrcha angerdd tymhestlog y gerdd gyntaf ei gythrwfl meddyliol wrth iddo geisio dygymod â marwolaeth Anne, tra bod yr ail yn fwy myfyrdodus ac yn amlwg dan ddylanwad *Night Thoughts* Edward Young. Trwy gydol y ddwy gerdd codir themâu a'u cydblethu yn null symffoni cerddorol, â meistrolaeth lwyr dros rythmau amrywiol y gerdd hir.

Yn nes ymlaen mabwysiadodd Islwyn ddull barddol mwy clasurol, ond aflwyddiannus fu ei ymgais i ennill bri eisteddfodol. Yn anffodus, ei gyfriniaeth oedd yr elfen fwyaf dylanwadol yn ei waith, ac fe'i dilynwyd gan garfan a adwaenir fel y Beirdd Newydd. Roedd y rhan fwyaf o'r beirdd hyn yn weinidogion, rhai fel Iolo Carnarvon a Ben Davies, a buont yn flaenllaw iawn yn yr Eisteddfod Genedlaethol yn negawd olaf y bedwaredd ganrif ar bymtheg. Nid annheg fyddai dweud bod barddoniaeth Gymraeg wedi cyrraedd ei hisafbwynt gyda'r synfyfyrion diffurf ac amleiriog hyn. Roedd yr adwaith yn erbyn y fath anialwch wrth wraidd yr adfywiad mewn barddoniaeth Gymraeg ar ddechrau'r ugeinfed ganrif.

Y nofel

Braidd yn gyndyn fu'r Cymry i dderbyn y nofel fel ffurf lenyddol ddifrifol, yn rhannol oherwydd y bri aruthrol oedd ar farddoniaeth

Daniel Owen.

yng Nghymru, a rhagfarn yr Anghydffurfwyr yn erbyn ffuglen, ac efallai hefyd oherwydd prinder y darllenwyr dosbarth canol trefol a gynhaliai'r nofel Saesneg yn Lloegr, er bod tipyn o alw am ffuglen yn y Gymraeg. Y gwaith cynharaf y gellid ei ystyried yn nofel yw *Y Bardd, neu y Meudwy Cymreig* (1830) gan Gawrdaf (William Ellis Jones, 1795–1848), ond nid oes yn hwnnw mo'r plot na'r cymeriadu sy'n hanfodol i *genre* y nofel. Mae gwaith Cawrdaf yn foeswers amlwg, ac felly hefyd y straeon melodramatig a gynhyrchwyd gan y mudiad dirwest. Cafwyd diddanwch ysgafn gan y rhamantau hanesyddol ar bynciau fel carwriaethau Dafydd ap Gwilym. Defnyddiwyd ffuglen fel cyfrwng beirniadaeth gymdeithasol radicalaidd ambell waith, er enghraifft gan Samuel Roberts a Gwilym Hiraethog (William Rees, 1802–83), awdur hynod doreithiog a addasodd *Uncle Tom's Cabin* i'r Gymraeg dan y teitl *Aelwyd F'Ewythr Robert* (1852), er mwyn tynnu sylw at erchylltra caethwasiaeth. Gweithiau ffuglennol eraill a gafwyd ganddo yw'r gyfres o lythyrau mewn tafodiaith a gyhoeddwyd yn *Yr Amserau* yn 1878, *Llythurau 'Rhen Ffarmwr*, a nofel am gymuned amaethyddol, *Helyntion Bywyd Hen Deiliwr* (1877). Mae'r holl storïau hyn yn gefndir pwysig i waith Daniel Owen, yr awdur cyntaf i wireddu potensial y nofel yn y Gymraeg.

Roedd Daniel Owen (1836–95) yn frodor o'r Wyddgrug, a'r dref fach honno ger y ffin â Lloegr a ddarparodd y cefndir ar gyfer pob un o'i lyfrau ac eithrio'r olaf. Dechreuodd hyfforddi ar gyfer y weinidogaeth yng Ngholeg y Bala, ond bu'n rhaid iddo roi'r gorau i'w gwrs i gynnal ei fam weddw a'i chwaer. Teiliwr ydoedd wrth ei grefft, a bu'n flaenllaw yn ei gapel Methodistaidd. Digwyddiadau ym mywyd y capel oedd deunydd ei straeon cynharaf, ac roedd y safbwynt crefyddol yn hanfodol i'w holl waith. Cyhoeddwyd pob un o'i nofelau ar ffurf cyfresi mewn cylchgronau, a dyna un rheswm, efallai, dros yr adeiladwaith digyswllt sy'n amharu ar ei waith. Ei gryfderau mawr yw ei allu i greu cymeriadau cofiadwy, yn arbennig trwy ddeialog fywiog, i ddatgelu eu natur foesol, gyda choegni deifiol yn aml, ac i ddarlunio pobl yn ymwneud â'i gilydd mewn cymuned gredadwy.

Ei nofel fawr gyntaf oedd *Rhys Lewis*, a gyhoeddwyd yn 1885. I adrodd hanes Rhys Lewis, gweinidog Bethel, defnyddiodd Daniel Owen ddyfais ffuglennol yr hunangofiant (na fwriadwyd ei gyhoeddi, yn ôl yr honiad), gan dynnu felly ar brif ffurf ryddiaith y cyfnod er mwyn dweud y gwir am ei wrthrych. Ond daw'n amlwg yn fuan nad yw Rhys yn barod i ddatgelu'r gwir i gyd. Thema fawr yn y nofel hon ac yn holl waith Daniel Owen yw rhagrith, y bwlch rhwng ymddangosiad y dyn cyhoeddus a'i natur fewnol. Mae'r nofel yn ymrannu'n dair adran, pob un yn ymwneud â phethau gwahanol.

Daniel Owen

Capten Trefor

Clywodd Cymru benbaladr am waith mwyn Pwll y Gwynt. Ond hwyrach na ŵyr pawb mai Richard Trefor a'i cychwynnodd, mai ef oedd darganfyddwr y 'plwm mawr.' O'r dydd hwnnw yr oedd dyrchafiad Trefor yn eglur i bawb. Nid Richard Trefor oedd ef mwyach, ond Capten Trefor, os gwelwch yn dda. Dechreuwyd edrych ar y Capten Trefor fel rhyw Joseph oedd wedi ei anfon gan ragluniaeth i gadw yn fyw bobl lawer. Bu cyfnewidiad sydyn yn syniadau pobl amdano. Buan y gwelodd y rhai a arferai edrych yn gilwgus arno mai tipyn o guldra oedd hynny o'u tu hwy, ac ni chollasant amser i addrefnu eu meddyliau amdano. Y pethau a elwid o'r blaen yn bechodau yn Richard, nid oeddynt ond gwendidau yn Capten Trefor. Yr oedd rhyw fai ar bawb, ac ni ellid disgwyl bod hyd yn oed y Capten Trefor yn berffaith. Nid oedd gwendidau'r Capten ond gwendidau naturiol, gwendidau hawdd iawn, erbyn hyn, i roddi cyfrif amdanynt, a'u hesgusodi, mewn gŵr yn ei sefyllfa ef. Yr oedd y Capten yn well dyn o lawer nag yr oeddid wedi arfer synied amdano, ac yr oedd ef, yn sicr, yn fendith i'r gymdogaeth. Mewn gair, yr oedd y Capten yn enghraifft deg mor dueddol ydyw'r natur ddynol i ffurfio syniad anghywir am ddyn pan fo'n dlawd, ac mor anobeithiol ydyw i neb gael ei iawn brisio nes cyrraedd rhyw raddau o lwyddiant bydol.

(O'r nofel *Enoc Huws*)

Mae'r gyntaf yn ymdrin â'r gwrthdaro rhwng Calfiniaeth geidwadol mam Rhys, Mari Lewis, a gwleidyddiaeth radicalaidd ei mab Bob, glöwr sy'n arwain streic dros well amodau gwaith. Y problemau i'r capel a grëir gan y radicaliaeth hon sy'n mynd â bryd yr awdur, a rhoddir terfyn sydyn ar y gwrthdaro annatrys gan farwolaeth Bob mewn damwain yn y pwll. Datblygiad ysbrydol Rhys yw pwnc yr ail adran, ac ar sail hyn ystyria ambell feirniad mai'r nofel hon yw gwaith dyfnaf Daniel Owen. Yr adran olaf yw'r lleiaf boddhaol, gyda'r cymhlethdodau anghredadwy a'r cyd-ddigwyddiadau a wnâi'r tro yn lle plot go iawn.

Yr un gymuned sy'n gefndir i *Enoc Huws* (1891), ond mae'r capel yn llawer llai amlwg yn y nofel hon. Mae'r arwr yn blentyn siawns, a phrif ddirgelwch y stori yw'r cwestiwn pwy yw ei dad. Ond cymeriad mwyaf trawiadol y nofel yw'r gwrtharwr, Capten Trefor, dihiryn digywilydd sy'n twyllo Enoc a phobl eraill i fuddsoddi arian yn ei bwll mwyn gwag. Syrthia Enoc mewn cariad â Susi, merch y Capten, ac o'r braidd y'i harbedir rhag cyflawni llosgach pan ddatgelir ar ddiwedd y nofel mai Capten Trefor yw ei dad. Er gwaethaf rhywfaint o lacrwydd tua'r diwedd, mae adeiladwaith Enoc Huws yn llawer mwy boddhaol nag un *Rhys Lewis*, ac mae'r deunaw pennod gyntaf yn gampwaith o gomedi gymdeithasol yn datgelu'r gamddealltwriaeth, yr hunan-dwyll a'r rhagrith sy'n nodweddu perthynas pobl â'i gilydd. Fel yn hanes Bob Lewis, mae anesmwythyd dwfn i'w deimlo yma ynglŷn ag effeithiau diwydiant ar y gymdeithas.

Fe ymddengys i Ddaniel Owen gwblhau'i ddadansoddiad o'i fyd a'i oes ei hun gydag *Enoc Huws*, oherwydd yn ei nofel olaf, *Gwen Tomos* (1894), fe drodd at gefn gwlad sir y Fflint yn rhan gyntaf y ganrif, cyfnod pan oedd Methodistiaeth yn dal i fod yn rym ysbrydol bywiol ar gyrion y gymdeithas. Yn ôl pob golwg mae'r arwres yn seiliedig ar fyth Ann Griffiths, y ferch nwydus wedi troi'n santes. Dibynna adeiladwaith y nofel ar y gwrthdaro rhwng y cymeriadau crefyddol a'r rhai bydol, ac fel yn ei holl waith mae'n amlwg bod gan Ddaniel Owen dipyn o gydymdeimlad â'r olaf, yn enwedig y baganes eofn Nansi'r Nant. Dirgelwch ynghylch rhiant sydd wrth wraidd y stori hon hefyd, gyda'r posibilrwydd mai Nansi yw mam Gwen (awgrym sy'n codi cwestiynau pellach am natur foesol Gwen ei hun). Nid yw'r beirniaid yn gytûn ar y cwestiwn pa un o'r nofelau hyn yw gwaith gorau Daniel Owen. Mae gan bob un ei rhinweddau arbennig, a rhaid derbyn bod y nofelydd yn dal i ddatblygu'n betrus trwy gydol ei yrfa fer, heb gyflawni'i ddoniau mewn un nofel neilltuol. Serch hynny, fe osododd safon uchel ar gyfer nofelwyr Cymraeg yr ugeinfed ganrif mewn sawl ffordd, ac yn arbennig o ran cyfrifoldeb moesol yr awdur i ddatgelu'r gwir am ei gymdeithas.

8 *Deffroad Llenyddol Dechrau'r Ugeinfed Ganrif*

Roedd y deffroad llenyddol a ddechreuodd yn negawdau olaf y bedwaredd ganrif ar bymtheg yn uchafbwynt ar ddatblygiadau yn oes Fictoria, ac ar yr un pryd yn adwaith yn erbyn rhai o nodweddion yr oes honno. Roedd y delfryd Rhyddfrydol o'r werin dduwiol a diwylliedig yn hollbwysig i'r mudiad newydd. Y delfryd hwnnw a ysgogodd yr ymgyrch i sefydlu cyfundrefn addysg newydd i Gymru, yr ysgolion sir a cholegau Prifysgol Cymru, a chynnyrch yr addysg honno oedd llawer o awduron y deffroad. Daeth yr iaith Gymraeg a'i llenyddiaeth yn bynciau astudiaeth i academwyr proffesiynol am y tro cyntaf, ac felly cafwyd golwg eglurach ar y traddodiad llenyddol. Mae'r llenyddiaeth newydd yn adlewyrchu optimistiaeth diwedd oes Fictoria yn gryf iawn, yn seiliedig ar ffyniant economaidd Prydain, gyda chyfraniad sylweddol oddi wrth ddiwydiannau Cymru, ac ar y gred gyffredinol mewn cynnydd parhaol. Ar droad y ganrif ymddangosai dyfodol Cymru'n llewyrchus iawn wrth i'w gwerin gyflawni'i haddewid. Roedd yr iaith Gymraeg hyd yn oed ar gynnydd yn sgil twf y cymunedau diwydiannol.

Ar y llaw arall, roedd y mudiad newydd hefyd yn ymwrthod â materoliaeth Fictoraidd. Wrth i effeithiau drwg diwydiant ddod i'r amlwg, tueddai awduron i chwilio am ddihangfa, fel eu cymheiriaid yn Lloegr megis Ruskin a William Morris, a throi naill ai at orffennol cyn-ddiwydiannol a chyn-drefedigaethol yn hanes a mythau'r Oesoedd Canol, neu at wynfyd bugeiliol yn y Gymru wledig. Cafwyd gwrthryfel yn erbyn piwritaniaeth gul y capeli a'r duwioldeb a lethai lenyddiaeth yr oes. Daeth cenedlaetholdeb Cymreig yn rym mwy ymosodol, gan ymgyrchu i ymryddhau oddi wrth ormes Lloegr, yn wahanol iawn i wladgarwch oes Fictoria a ymfalchïai yng nghyfraniad Cymru fach ddewr i ymerodraeth Prydain Fawr.

Mae'r elfen o barhad yn y deffroad ar ei mwyaf amlwg yng ngwaith O. M. Edwards (1858–1920), golygydd ac awdur toreithiog a gafodd ddylanwad ffurfiannol ar ddiwylliant Cymru fodern. O ran ei gefndir a'i yrfa ymgorfforai ddelfryd y werin. Yn fab i dyddynnwr o Lanuwchllyn, daeth yn Gymrawd o Goleg Lincoln yn Rhydychen, ac ymroddodd wedyn i hyrwyddo diwylliant gwerin Cymru, yn arbennig trwy'r cylchgrawn poblogaidd *Cymru*, y bu'n olygydd arno o 1891 tan ei farwolaeth. Ysgrifennu newyddiadurol yw ei waith ei hun yn bennaf, yn llyfrau taith ac ysgrifau mewn arddull ysgafn a deniadol a geisiai agor llygaid y Cymry i harddwch eu gwlad eu hunain ac i'w gorffennol. Ei lyfr pwysicaf yw *Cartrefi Cymru* (1896), casgliad o ysgrifau am ei ymweliadau â chartrefi enwogion ein llên, megis Williams Pantycelyn ac Ellis Wynne, sy'n cyfuno hanes, llenyddiaeth a natur mewn ymdrech i greu ymdeimlad â mannau cysegredig.

Mae'r elfen o adwaith yn y deffroad i'w gweld am y tro cyntaf yng ngwaith Emrys ap Iwan (Robert Ambrose Jones, 1848–1906), gweinidog gyda'r Methodistiaid a fu'n feirniad deifiol ar enwadaeth a seisgarwch y Cymry. Tra enillodd O. M. Edwards boblogrwydd ar unwaith am fod ei waith yn crynhoi rhai o ddelfrydau pwysicaf yr oes, fe'i gwnaeth Emrys ap Iwan ei hun yn amhoblogaidd trwy'i feirniadaeth hallt, ac ni werthfawrogwyd ef yn llawn tan ar ôl ei farwolaeth. Roedd yn un o dadau cenedlaetholdeb Cymreig a mudiad yr iaith, o flaen ei amser yn ei amgyffrediad o iaith fel elfen hanfodol ym meddylfryd pobl ac yn eu hunaniaeth genedlaethol. Datblygodd arddull ryddiaith loyw a rhesymol fel arf bolemig (dan ddylanwad ysgrifwyr Ffrangeg), ac er nad oedd yn awdur creadigol yn bennaf, roedd ei ysgrifau dychanol yn ddyfeisgar dros ben. Gwnaeth Emrys ap Iwan gyfraniad pwysig i'r deffroad llenyddol trwy dynnu sylw at draddodiad o glasuron rhyddiaith Cymraeg yn ymestyn yn ôl at y Beibl, ac felly adfer safonau a aethai ar goll trwy orddibyniaeth ar fodelau Saesneg.

Prif ysgolhaig a beirniad llenyddol y mudiad newydd oedd John Morris-Jones (1864–1929). Gydag O. M. Edwards, roedd yn un o sylfaenwyr Cymdeithas Dafydd ap Gwilym yn Rhydychen yn 1886, cylch trafod a fu'n bwysig iawn fel magwrfa rhai o lenorion y deffroad. Yn ei swydd fel Athro'r Gymraeg yng Ngholeg Prifysgol Gogledd Cymru, Bangor, ef oedd y cyntaf i wneud astudiaeth wyddonol o'r Gymraeg a'i llenyddiaeth. Aeth ati i buro'r iaith ysgrifenedig o rai o'r llygredigaethau diweddar, a seiliodd ei ddiwygiadau ar safonau'r testunau clasurol ac ar yr iaith lafar naturiol. Mae'r llyfr gramadeg a gyhoeddodd yn 1913 yn ddisgrifiad trylwyr o'r iaith lenyddol. Fel beirniad, ei brif gyfraniad oedd llunio dadansoddiad manwl o'r grefft farddol draddodiadol, *Cerdd Dafod* (1925), a bu'i feirniadaethau cyson yn fodd i godi safonau yng nghystadlaethau'r eisteddfod. Mae'r egwyddorion sy'n sail i'w feirniadaeth lenyddol yn gymysgedd o'r Clasurol a'r Rhamantaidd, gan gyfuno pwyslais ar ffurf a chywirdeb ieithwedd â dyrchafu teimlad fel hanfod barddoniaeth. Dau beth y pregethodd yn eu herbyn yn gyson yn ei feirniadaethau ar farddoniaeth oedd traethu neges a meddwl haniaethol. Efallai fod ei agwedd yn rhy ysgubol, ond ar y pryd roedd angen gwaredu metaffiseg remp y Bardd Newydd. Roedd ei ddysgeidiaeth ar iaith barddoniaeth yr un mor ddeddfol; mewn ymgais i greu iaith ddethol gwaharddodd y defnydd o eiriau sathredig, megis 'boch' yn lle 'grudd'. Mewn gwirionedd mae'r egwyddor honno'n berthnasol i fath arbennig o gerdd delynegol yn unig, ond roedd yn werthfawr ar y pryd er mwyn adfer ymwybyddiaeth beirdd o naws ac ergyd geiriau, ymwybyddiaeth sy'n un o gryfderau mawr y mudiad newydd. Gweithredodd John Morris-Jones ei egwyddorion ei hun mewn telynegion coeth a theimladwy, a gyhoeddwyd yn ei gyfrol *Caniadau* (1907), gan gynnwys cyfieithiadau o gerddi Heine ac Omar Khayyám a ddaeth â thipyn o synwyrusrwydd yn ôl i farddoniaeth Gymraeg.

Barddoniaeth

Anodd iawn yw dyddio dechreuadau'r llenyddiaeth newydd yn fanwl, a diau bod modd ystyried telynegion Elfed (Howell Elvet Lewis, 1860–1953) ymhlith ei gweithiau cynharaf, a nofelau Daniel Owen yn ogystal. Ond y mae dwy nodwedd hanfodol yn brin yng ngwaith y ddau awdur hynny, sef ymwrthod â safonau moesol a diwylliannol yr oes o'r blaen ac adfer traddodiad clasurol. Pedwar bardd rhagorol o ran gyntaf yr ugeinfed ganrif sy'n arddangos y nodweddion hynny mewn ffyrdd amrywiol yw T. Gwynn Jones, R. Williams Parry, W. J. Gruffydd a T. H. Parry-Williams.

Mab tyddyn yn sir Ddinbych oedd T. Gwynn Jones (1871–1949), a dysgodd grefft y gynghanedd gan ei dad. Ychydig o addysg ffurfiol a gafodd, ond aeth yn newyddiadurwr, a bu'n gweithio yn y Llyfrgell Genedlaethol newydd, ac oherwydd ei wybodaeth fanwl am farddoniaeth yr Oesoedd Canol fe'i penodwyd i staff yr Adran Gymraeg yng Ngholeg Prifysgol Cymru, Aberystwyth, a'i ddyrchafu wedyn yn Athro yn 1919. Roedd yn awdur amlochrog a hynod egnïol a gynhyrchodd doreth o lyfrau, yn nofelau, dramâu, ysgrifau a gweithiau ysgolheigaidd, ond fel bardd y gwnaeth ei gyfraniad mwyaf i lenyddiaeth Gymraeg. Ef oedd meistr mwyaf y canu caeth ers yr Oesoedd Canol (er bod rhai ymhlith y genhedlaeth bresennol yn hafal iddo). Enillodd rwyddineb newydd yn ei gerddi hir trwy ddefnyddio'r gynghanedd yn y mesurau rhydd, gan ddatrys felly y broblem a wynebai Goronwy Owen yn y ddeunawfed ganrif. Carreg filltir fawr gyntaf y deffroad oedd yr awdl a enillodd y Gadair iddo yn Eisteddfod Genedlaethol Bangor yn 1902, 'Ymadawiad Arthur'. Cafodd y stori am ymadawiad y Brenin Arthur i Ynys Afallon o *Morte d'Arthur* Tennyson, ond mae'i ddehongliad yn adlewyrchu ysbryd yr adfywiad cenedlaethol cyfoes. Proffwydoliaeth sy'n ei chyflawni'i hun yw un

T. Gwynn Jones

Ynys Afallon

Draw dros y don mae bro dirion, nad ery
Cwyn yn ei thir, ac yno ni thery
Na haint na henaint fyth mo'r rhai hynny
A ddêl i'w phur, rydd awel, a phery
  Pob calon yn hon yn heiny a llon,
Ynys Afallon ei hun sy felly.

Yn y fro ddedwydd mae hen freuddwydion
A fu'n esmwytho ofn oesau meithion;
Byw yno byth mae pob hen obeithion,
Yno mae cynnydd uchel amcanion;
  Ni ddaw fyth, i ddeifio hon, golli ffydd,
Na thro cywilydd, na thorri calon.

Yno mae tân pob awen a gano,
Grym, hyder, awch pob gŵr a ymdrecho;
Ynni a ddwg i'r neb fynn ddiwygio,
Sylfaen yw byth i'r sawl fynn obeithio;
  Ni heneiddiwn tra'n noddo – mae gwiw foes
Ac anadl einioes y genedl yno.

(O'r awdl 'Ymadawiad Arthur')

Arthur wrth ymadael, gan fod y gerdd ei hun yn arwydd pendant o'r deffroad y mae'n ei rag-weld, ac yn fynegiant grymus o optimistiaeth dechrau'r ganrif.

Dros y chwarter canrif dilynol aeth T. Gwynn Jones yn ei flaen i lunio cyfres o gerddi hir ar thema'r ymchwil am baradwys goll, pob un yn seiliedig ar hen chwedloniaeth Geltaidd, a oedd yng ngolwg y bardd yn ymgorffori gwirioneddau tragwyddol. Gwelir hyder y deffroad yn graddol ildio dros y blynyddoedd i ansicrwydd ysbrydol ac anobaith. Yn ei gerdd am hanes Madog ab Owain Gwynedd o'r ddeuddegfed ganrif, a gyfansoddwyd ar un o oriau duaf Ewrop yn 1917, mae'r morwr enwog yn cefnu ar ryfela ymddinistriol Gwynedd (sydd yn amlwg yn ddameg am gyflwr cyfoes Ewrop) ac yn hwylio dros y môr i chwilio am wlad well yn y gorllewin. Ond yn wahanol i'r stori amdano'n darganfod America, a ddaeth yn boblogaidd yn y ddeunawfed ganrif, mae'r gerdd yn gorffen mewn modd enigmatig wrth i'w long suddo ar ganol y daith. Ai cyflawniad ei ymgyrch ysbrydol yw marwolaeth, ynteu methiant? Nid oes dim amheuaeth am fodolaeth y baradwys ddaearol yn 'Anatiomaros' (1925), cerdd sy'n darlunio defodau traddodiadol llwyth Celtaidd yng Ngâl, ond eto yn 'Argoed', a gyfansoddwyd ddwy flynedd yn ddiweddarach, gwelir y gwareiddiad hwnnw dan fygythiad terfynol gan imperialaeth Rufeinig, sydd yn amlwg yn cyfateb i'r bygythiad cyfoes i'r iaith Gymraeg gan y Saesneg. Yn hytrach na goddef colli'u traddodiadau mae pobl Argoed yn dewis cyflawni hunanladdiad cymunedol trwy roi'u fforest ar dân. Adlewyrchir yr agwedd buryddol honno tuag at ddiwylliant gan arddull urddasol y cerddi hyn, arddull sy'n gwrth-gyferbynnu'n gynyddol â gweledigaeth lom y bardd, gan gadarnhau'r gwerthoedd traddodiadol yn wyneb eu difodiant. Serch hynny, fe gynigir y posibilrwydd y bydd arwriaeth stoicaidd pobl Argoed yn ysbrydoli'r Cymry i weithredu i newid eu tynged. Mae darlun T. Gwynn Jones o'r byd modern ar ei fwyaf negyddol mewn cyfres o gerddi yn y wers rydd a gyhoeddodd dan ffugenw yn 1934–5. Casglwyd y rhain yn y gyfrol *Y Dwymyn* (1944), ynghyd â champwaith o gerdd hir, 'Cynddilig', sy'n addasu rhan o gylch Llywarch Hen yn gondemniad o ryfel.

Bro enedigol Robert Williams Parry (1884–1956) oedd Dyffryn Nantlle yn ardal y chwareli llechi. Ond yn gyson â thueddiadau Rhamantaidd y cyfnod, roedd yr amgylchfyd diwydiannol yn atgas ganddo, a chwiliodd am ysbrydoliaeth yn nhirlun digyfnewid mynydd-oedd Eryri, neu yn llonyddwch cefn gwlad Eifionydd. Gwnaeth enw mawr iddo'i hun trwy ennill Cadair yr Eisteddfod Genedlaethol â'i awdl hynod boblogaidd, 'Yr Haf', cerdd chwerw-felys sy'n dathlu hyfrydwch serch a natur dan gysgod pryder yr agnostig ynghylch byrhoedledd. Gyda doethineb drannoeth mae hedonistiaeth y gerdd yn cyfleu hinsawdd digwmwl y blynyddoedd cyn y Rhyfel Mawr i'r dim. Adwaenid Williams Parry fel 'Bardd yr Haf' am weddill ei yrfa, er iddo gefnu'n fuan ar y fath Ramantiaeth anaeddfed yn wyneb realiti erchyll rhyfel. Mae'r marwnadau a ganodd i ddynion ifainc a laddwyd yn y ffosydd wedi dod i gynrychioli'r galar dros genhed-laeth gyfan. Yr enwocaf o'r cerddi hyn yw'r ddwy gyfres o englynion i'r bardd Hedd Wyn (Ellis H. Evans, 1887–1917) o Drawsfynydd. Dyfarnwyd Cadair yr Eisteddfod Genedlaethol i Hedd Wyn am ei awdl 'Yr Arwr' fis ar ôl iddo gael ei ladd ym mrwydr Cefn Pilkem, a daeth 'y Gadair Ddu' yn symbol o holl golledion Cymru yn ystod y rhyfel. Cyhoeddwyd casgliad o gerddi Hedd Wyn yn 1918 dan y teitl *Cerddi'r Bugail*.

Hedd Wyn

'Rhyfel'

Gwae fi fy myw mewn oes mor ddreng,
  A Duw ar drai ar orwel pell;
O'i ôl mae dyn, yn deyrn a gwreng,
  Yn codi ei awdurdod hell.

Pan deimlodd fyned ymaith Dduw
  Cyfododd gledd i ladd ei frawd;
Mae sŵn yr ymladd ar ein clyw,
  A'i gysgod ar fythynnod tlawd.

Mae'r hen delynau genid gynt
  Ynghrog ar gangau'r helyg draw,
A gwaedd y bechgyn lond y gwynt,
  A'u gwaed yn gymysg efo'r glaw.

Dilynai Williams Parry egwyddor John Morris-Jones o gadw propaganda allan o lenyddiaeth, a'i gryfder mawr fel bardd yw ei ddawn i drin geiriau'n gynnil ac awgrymog er mwyn cyfleu dwyster ei brofiad, er enghraifft yn ei soned 'Y Llwynog', sy'n un o gerddi natur mwyaf poblogaidd yr iaith. Mae'i yrfa'n ymrannu'n daclus yn ddau gyfnod yn ôl y ddwy gyfrol a gyhoeddodd, *Yr Haf a Cherddi Eraill* (1924) a *Cerddi'r Gaeaf* (1952). Y cerddi gorau yn y gyfrol olaf yw'r rhai a ysbrydolwyd gan losgi'r Ysgol Fomio yn 1936, fel y ceir gweld yn y bennod nesaf.

Chwaraeodd W. J. Gruffydd (1881–1954) ran ganolog ym mywyd llenyddol Cymru trwy gydol hanner cyntaf yr ugeinfed ganrif. Fel ysgolhaig a beirniad fe luniodd astudiaethau a blodeugerddi dylanwadol, gan ategu rhagfarn John Morris-Jones o blaid barddoniaeth delynegol, ac fel golygydd prif gylchgrawn llenyddol y cyfnod, *Y Llenor*, bu'n sylwebydd deifiol ar ddiwylliant Cymru. Gallai Gruffydd fod yn anwadal ei hwyliau, ac adlewyrchir cymhlethdodau'i natur yn ei farddoniaeth, sy'n amrywio o Ramantiaeth foethus i realaeth foel. Mae'r elfen o wrthryfel yn y deffroad i'w gweld yn glir iawn yn ei waith cynnar a'i gnawdolrwydd rhodresgar (methodd ennill Coron yr Eisteddfod Genedlaethol yn 1902 oherwydd ei ddehongliad 'anfoesol' o chwedl Trystan ac Esyllt), ac eto cynnyrch diwylliant Anghydffurfiol

T. H. Parry-Williams.

y bedwaredd ganrif ar bymtheg oedd Gruffydd yn ddiamau, a daeth i ymfalchïo fwyfwy yn y gynhysgaeth honno. Dan ddylanwad delfrydau gwerinol O. M. Edwards a hefyd nofelau Thomas Hardy, lluniodd nifer o gerddi mewn arddull seml a theimladwy yn dathlu stoiciaeth pobl gyffredin ei fro yn sir Gaernarfon, a'r rheini efallai yw ei gyfraniad pwysicaf i lenyddiaeth Gymraeg.

Er bod T. H. Parry-Williams (1887–1975) yn gynnyrch yr un mudiad llenyddol â'i gefnder hŷn R. Williams Parry, mae'i waith yn cynrychioli symudiad oddi wrth delynegiaeth Ramantaidd John Morris-Jones, gan gyflwyno realaeth newydd ac arddull fwy naturiol. Yn dilyn gyrfa academaidd ddisglair mewn sawl prifysgol yn Ewrop cafodd ei benodi'n Athro yn yr Adran Gymraeg yn Aberystwyth, ond daliodd ei fro enedigol yn Eryri i fod yn angor emosiynol iddo ar hyd ei fywyd, ac mae'r rhwymau rhwng yr alltud a'i fro yn thema ganolog yn ei waith. Cyflawnodd y gamp ryfeddol o ennill y Gadair a'r Goron yn yr Eisteddfod Genedlaethol yn 1912 ac eto yn 1915, a rhoddodd ei bryddest 'Y Ddinas' dipyn o ysgytwad i'r beirniaid gyda'i darlun cignoeth o fywyd dinesig ym Mharis. Yn ei gyfrol gyntaf o farddoniaeth, a gyhoeddwyd yn 1931, ceir nifer o sonedau coeth, ond y newydd-deb mwyaf arwyddocaol yw'r cerddi a alwodd yn rhigymau, cwpledi odledig syml sy'n defnyddio iaith sathredig i archwilio paradocsau bodolaeth dyn. Mae rhai nodweddion modernaidd yn ei waith, megis colli'r hen sicrwydd ffydd, ymdeimlo â chymhlethdod bywyd a pherthynoledd, ac argraff o ymwybyddiaeth ranedig, ac eto mae'i eironi hunanfychanol o hyd yn ei atal rhag wynebu'r anhrefn dirfodol eithaf. Yn gyfochrog â'i farddoniaeth gwnaeth T. H. Parry-Williams ddefnydd helaeth o'r ysgrif lenyddol fel cyfrwng myfyrdodau athronyddol o fath unigryw, sy'n datgelu personoliaeth hydeiml a chymhleth. Gwrthrychedd oedd ei ymagwedd arferol, meddylfryd gwyddonol wedi'i gryfhau gan flwyddyn yn astudio meddygaeth, ond roedd o hyd yn ymwybodol o rym afresymegol yr emosiynau, ac mae'r tyndra rhwng y ddau yn hanfodol i'w waith, fel y gwelir yn ei gerdd enwocaf, y rhigwm 'Hon', lle dramateiddir deuoliaeth sy'n nodweddu agwedd llawer o Gymry tuag at eu gwlad.

Roedd T. H. Parry-Williams yn wrthwynebydd cydwybodol yn ystod y Rhyfel Byd Cyntaf, ac mae'n amlwg bod y dadrith a ddioddefodd yr adeg honno yn ffactor yn ei ddatblygiad fel bardd modernaidd. Cafodd y rhyfel effaith ysgytwol ar ddiwylliant Cymru, gan chwalu hyder hunanfodlon oes Fictoria ac esgor ar realaeth arwach mewn llenyddiaeth. Un o'r ychydig feirdd Cymraeg a allai dynnu ar ei brofiad personol o'r rhyfel oedd Cynan (Albert Evans-Jones, 1895–1970). Mae'r bryddest a luniodd yn 1921, 'Mab y Bwthyn', yn cynnwys disgrifiadau byw iawn o'r ymladd, ac eto o ran ei darlun sentimental o fywyd dilychwin cefn gwlad mae'n dal yn perthyn i fyd y delyneg Fictoraidd. Yn nes ymlaen yn ei yrfa cefnodd Cynan ar y realaeth a ysgogwyd gan ei brofiadau rhyfel, a daeth yn un o hoelion wyth yr Eisteddfod, gan ymhyfrydu ym mhasiant poblogaidd yr Ŵyl.

T. H. Parry-Williams

'Hon'

Beth yw'r ots gennyf i am Gymru? Damwain a hap
Yw fy mod yn ei libart yn byw. Nid yw hon ar fap

Yn ddim byd ond cilcyn o ddaear mewn cilfach gefn,
Ac yn dipyn o boendod i'r rhai sy'n credu mewn trefn.

A phwy sy'n trigo'n y fangre, dwedwch i mi.
Pwy ond gwehilion o boblach? Peidiwch, da chwi,

Â chlegar am uned a chenedl a gwlad o hyd:
Mae digon o'r rhain, heb Gymru, i'w cael yn y byd.

'R wyf wedi alaru ers talm ar glywed grŵn
Y Cymry, bondigrybwyll, yn cadw sŵn.

Mi af am dro, i osgoi eu lleferydd a'u llên,
Yn ôl i'm cynefin gynt, a'm dychymyg yn drên.

A dyma fi yno. Diolch am fod ar goll
Ymhell o gyffro geiriau'r eithafwyr oll.

Dyma'r Wyddfa a'i chriw; dyma lymder a moelni'r tir;
Dyma'r llyn a'r afon a'r clogwyn; ac, ar fy ngwir,

Dacw'r tir lle'm ganed. Ond wele, rhwng llawr a ne'
Mae lleisiau a drychiolaethau ar hyd y lle.

'Rwy'n dechrau simsanu braidd; ac meddaf i chwi,
Mae rhyw ysictod fel petai'n dod drosof i;

Ac mi glywaf grafangau Cymru'n dirdynnu fy mron.
Duw a'm gwaredo, ni allaf ddianc rhag hon.

Drama

Araf iawn fu datblygiad y ddrama Gymraeg, yn rhannol oherwydd diffyg bywyd dinesig i gynnal theatrau yng Nghymru. Ar ôl i wrthwynebiad Anghydffurfiol atal yr anterliwt werinol, llesteiriwyd y ddrama seciwlar yn oes Fictoria, ond tua diwedd y bedwaredd ganrif ar bymtheg fe gafwyd dramâu rhamantus gwladgarol, gyda phasiantau hanesyddol gan awduron fel Beriah Gwynfe Evans. Bu'n rhaid aros tan ail ddegawd yr ugeinfed ganrif cyn cael mudiad dramatig, yn Gymraeg ac yn Saesneg, a ymdriniai â chymdeithas gyfoes Cymru, gan ddilyn esiampl y dramodydd mawr o Norwy, Henrik Ibsen. Hwn oedd yr amlygiad mwyaf cyhoeddus o'r deffroad llenyddol, a hefyd yr her fwyaf i'r sefydliad Anghydffurfiol Rhyddfrydol. Cafwyd beirniadaeth feiddgar iawn ar ragrith a gorthrwm y capeli gan W. J. Gruffydd yn *Beddau'r Proffwydi*, drama a achosodd gryn gythrwfl pan gynhyrchwyd hi am y tro cyntaf ym mis Mawrth 1913. Dau ddramodydd mwyaf blaenllaw y cyfnod cyn y rhyfel oedd J. O. Francis yn Saesneg, a ymdriniodd â'r gwrthdaro a achoswyd gan radicaliaeth y mudiad llafur yn y ddrama *Change* (1912), a D. T. Davies, a ddefnyddiodd dafodiaith Gymraeg Morgannwg mewn dramâu fel *Ble ma fa?* (1913), sy'n cynnig beirniadaeth ddyneiddiol ar y syniad Calfinaidd o iachawdwriaeth trwy ffydd. Mae'r mudiad hwn yn hynod yn hanes llenyddiaeth Cymru oherwydd ei natur ddwyieithog, gydag awduron Cymraeg a Saesneg yn ymdrin â'r un themâu a dramâu'n cael eu cyfieithu rhwng y ddwy iaith. Ni fu perthynas mor gytûn rhwng dwy lenyddiaeth Cymru fyth ers hynny, ac mae'n resyn mai ysbryd Caradoc Evans yn hytrach na J. O. Francis a ddaeth yn arweiniol yn llenyddiaeth Saesneg Cymru.

Dechreuadau llenyddiaeth Eingl-Gymreig

Fel y gwelwyd eisoes, mae i lenyddiaeth Saesneg Cymru hanes hir, yn ymestyn yn ôl i'r bymthegfed ganrif o leiaf, pan luniodd y bardd Ieuan ap Hywel Swrdwal gyfres o englynion Saesneg i'r Forwyn Fair er mwyn arddangos gogoniant cerdd dafod Gymraeg i'r Saeson. Mae'r hanes hwnnw'n cynnwys awduron nodedig yn y cyfnod modern cynnar megis Henry Vaughan a John Dyer. Ond mae'n amheus a ydyw eu gweithiau'n ffurfio llenyddiaeth ar wahân i lenyddiaeth Saesneg yn gyffredinol. Rhai diddorol sydd wedi cael eu hawlio'n awduron Eingl-Gymreig, er bod eu Cymreictod yn denau mewn gwirionedd, yw'r telynegwr Sioraidd W. H. Davies o Gasnewydd, awdur *Autobiography of a Supertramp*, ac Edward Thomas, bardd sydd fel petai wedi dod yn Eingl-Gymreig wrth edrych yn ôl oherwydd ei

Portread o Caradoc Evans gan Evan Walters.

ddylanwad ar feirdd diweddarach megis Alun Lewis ac R. S. Thomas. Caradoc Evans a ystyrir fel rheol yn sefydlwr llenyddiaeth Eingl-Gymreig fodern, hynny yw ysgrifennu Saesneg yn ymdrin â phynciau penodol Gymreig, ond ni ddatblygodd mudiad o awduron Eingl-Gymreig tan y 1930au, yn sgil y newidiadau cymdeithasol a amlinellir yn y bennod nesaf. Ni ddylai'r term 'Eingl-Gymreig' awgrymu bod Cymreictod wedi'i lastwreiddio; yn wir, fe'i defnyddir

Caradoc Evans

At the time of her marriage Achsah was ten years older than her husband. She was rich, too: Danyrefail, with its stock of good cattle and a hundred acres of fair land, was her gift to the bridegroom. Six months after the wedding Sadrach the Small was born. Tongues wagged that the boy was a child of sin. Sadrach answered neither yea nor nay. He answered neither yea nor nay until the first Communion Sabbath, when he seized the bread and wine from Old Shemmi and walked to the Big Seat. He stood under the pulpit, the fringe of the minister's Bible-marker curling on the bald patch on his head.

'Dear people', he proclaimed, the silver-plated wine cup in one hand, the bread plate in the other, 'it has been said to me that some of you think Sadrach the Small was born out of sin. You do not speak truly. Achsah, dear me, was frightened by the old bull. The bull I bought in the September fair. You, Shemmi, you know the animal. The red-and-white bull. Well, well, dear people, Achsah was shocked by him. She was running away from him, and as she crossed the threshold of Danyrefail, did she not give birth to Sadrach the Small? Do you believe me now, dear people. As the Lord liveth, this is the truth. Achsah, Achsah, stand you up now, and say you to the congregation if this is not right.'

Achsah, the baby suckling at her breast, rose and murmured: 'Sadrach speaks the truth.'

Sadrach ate of the bread and drank of the wine.

(O'r stori 'A Father in Sion' yn *My People*)

yn fwyaf priodol am awduron sy'n amlygu'u safbwynt Cymreig yn gryf iawn.

Enillodd Caradoc Evans enw iddo'i hun, ac enw drwg iawn ymhlith ei gydwladwyr, pan gyhoeddwyd ei gasgliad o straeon byrion, *My People*, yn 1915. Mae'r straeon yn darlunio bywyd Manteg, cymuned ddychmygol a oedd yn seiliedig ar bentref Rhydlewis yng Ngheredigion lle y magwyd Evans mewn tlodi gan ei fam weddw. Pan luniodd y straeon roedd Evans yn gweithio fel newyddiadurwr yn Llundain, a gellid dal ei fod yn ysgrifennu ar gyfer cynulleidfa Seisnig, gan borthi'i rhagfarnau am y Cymry, ond fe'i gwelai ef ei hun fel un o broffwydi'r Hen Destament yn cystwyo'i bobl am eu pechodau. Cafodd ei waith dderbyniad da yn Lloegr, ond cythruddwyd darllenwyr yng Nghymru gan y darlun o'r werin anfoesol ac anifeilaidd, a bu galw am wahardd y llyfr. Mae arddull unigryw y straeon yn gyfuniad rhyfedd o iaith Feiblaidd a chyfieithiadau llythrennol o ymadroddion Cymraeg, ond serch hynny ni ellir gwadu ei grym hypnotig. Roedd cymhelliad sylfaenol gwaith Caradoc Evans yn debyg i eiddo awduron eraill y deffroad, yn Saesneg ac yn Gymraeg, o ran yr ymosodiad ar y sefydliad Anghydffurfiol, ond fe aeth lawer ymhellach na neb arall wrth chwalu myth y werin dduwiol ac uchelfrydig a fu mor annwyl gan Ryddfrydwyr Cymru. Daw ei ddaliadau sosialaidd i'r amlwg yn ei ddicter am y modd yr oedd ffermwyr cefnog a siopwyr yn manteisio ar y werin dlawd, ac mae'i straeon hefyd yn datgelu'r gorthrwm a fu ar ferched mewn cymdeithas batriarchaidd, er nad yw'r dychan didostur yn gadael lle i gydymdeimlo â neb. Aeth Caradoc Evans yn ei flaen i gynhyrchu cryn dipyn o ffuglen o'r un math, gan gynnwys darlun dychanol o Gymry Llundain, ond ni lwyddodd i gyrraedd uchelfannau ffyrnig ei lyfr cyntaf eto. Bu ei ddylanwad yn drwm ar y genhedlaeth o awduron Eingl-Gymreig a'i dilynodd, ac arweiniodd at begynu rhwng dwy lenyddiaeth Cymru, a'r Saesneg yn cael ei huniaethu â gelyniaeth tuag at yr iaith Gymraeg a diwylliant y capel.

9 *Y Cyfnod rhwng y Ddau Ryfel*

Ideolegau

Gadawodd y gwrthdaro rhwng ideolegau gwleidyddol ei ôl ar lenyddiaeth sawl gwlad yn y blynyddoedd rhwng y ddau ryfel byd, a bu symudiad tuag at safbwynt ymrwymedig a effeithiodd ar y rhan fwyaf o awduron mewn rhyw ffordd neu'i gilydd. Y prif wrthdaro yng Nghymru oedd hwnnw rhwng cenedlaetholdeb a sosialaeth, a'r ddau'n cynnig atebion gwahanol i'r argyfwng economaidd a'r diweithdra helaeth a oedd yn felltith ar gymoedd y de yn enwedig. Delfryd y cenedlaetholwyr oedd cenedl Gymreig annibynnol gydag economi wledig yn bennaf, a olygai ddad-ddiwydiannu'r cymoedd, tra bod y sosialwyr yn cefnogi'r frwydr ryngwladol yn erbyn cyfalafiaeth er mwyn ennill rheolaeth i'r gweithwyr dros ddiwydiant. Yng ngolwg y cenedlaetholwyr roedd yr iaith Gymraeg a'i diwylliant Cristnogol yn hanfodol i fywyd y genedl, tra bod sosialaeth yr adeg honno yn athroniaeth faterolaidd a welai'r Gymraeg yn anacroniaeth a Christnogaeth yn rym adweithiol. Yn sgil dylanwad Caradoc Evans, a hefyd cryfder sosialaeth yn yr ardaloedd diwydiannol lle'r oedd y Gymraeg yn dirywio'n gyflym, bu tuedd i'r ddwy lenyddiaeth fynd i begynau gwahanol o ran eu hymlyniadau gwleidyddol. Serch hynny, ni fu awduron Cymraeg yn gwbl unfryd yn eu cefnogaeth i genedlaetholdeb. Glynai rhai wrth yr hen ddelfrydau Rhyddfrydol, megis W. J. Gruffydd a'r bardd Iorwerth Peate, sylfaenydd Amgueddfa Werin Cymru, a bu gan eraill ddaliadau adain-chwith, megis y bardd T. E. Nicholas (Niclas y Glais, 1878–1971), a fu'n hynod ymroddedig i achos comiwnyddiaeth, ac Alun Llywelyn-Williams o gefndir dinesig yng Nghaerdydd. Ni fu awduron Eingl-Gymreig bob amser yn elyniaethus tuag at yr iaith Gymraeg chwaith, fel y ceir gweld.

Dylanwad anferth un dyn a fu'n bennaf cyfrifol am oruchafiaeth safbwynt y cenedlaetholwyr mewn llenyddiaeth Gymraeg ers y 1930au, sef Saunders Lewis, un o sylfaenwyr Plaid Genedlaethol Cymru (Plaid Cymru yn ddiweddarach) yn 1925. A'r digwyddiad allweddol a sbardunodd lawer o awduron Cymru i ymrwymo i'r achos oedd llosgi ysgol fomio'r RAF ym Mhenyberth yng nghanol bro Gymraeg Llŷn yn 1936 gan Saunders Lewis a dau gyfaill, y llenor D. J. Williams a'r gweinidog Lewis Valentine. Gan fod protestiadau heddychlon yn erbyn yr ysgol fomio wedi methu, penderfynwyd gweithredu er mwyn sicrhau cyhoeddusrwydd i'r achos, a rhoi cyfle i Saunders draddodi

R. Williams Parry

'J.S.L.'

Disgynnaist i'r grawn ar y buarth clyd o'th nen
Gan ddallu â'th liw y cywion oll a'r cywennod;
A chreaist yn nrysau'r clomendy uwch dy ben
Yr hen, hen gyffro a ddigwydd ymhlith colomennod.
Buost ffôl, O wrthodedig, ffôl; canys gwae
Aderyn heb gâr ac enaid digymar heb gefnydd;
Heb hanfod o'r un cynefin yng nghwr yr un cae –
Heb gorff o gyffelyb glai na Duw o'r un defnydd.
Ninnau barhawn i yfed yn ddoeth, weithiau de
Ac weithiau ddysg ym mhrynhawnol hedd ein stafelloedd;
Ac ar ein clyw clasurol ac ysbryd y lle
Ni thrystia na phwmp y llan na haearnbyrth celloedd.
Gan bwyll y bwytawn, o dafell i dafell betryal,
Yr academig dost. Mwynha dithau'r grual.

araith yn y llys ar ragoriaeth y ddeddf foesol dros ddeddfau'r wladwriaeth. Ni chafodd y diffynwyr eu dyfarnu'n euog nes i'r achos gael ei symud o Gaernarfon i'r Old Bailey yn Llundain, ac o ganlyniad i'r ddedfryd o naw mis o garchar diswyddwyd Saunders Lewis o'r Adran Gymraeg yng Ngholeg y Brifysgol, Abertawe. Cafodd yr helynt effaith syfrdanol ar yrfa farddol R. Williams Parry, a fuasai'n fud ers rhai blynyddoedd, gan ei ysgogi i lunio cyfres o sonedau deifiol yn lleisio'i ddirmyg tuag at lwfrdra moesol pobl Cymru, dirmyg sydd gymaint yn rymusach am fod y bardd yn ei gynnwys ei hun yn y condemniad.

John Saunders Lewis

Magwyd Saunders Lewis (1893–1985) yn fab i weinidog yn Lerpwl, ac efallai bod y ffaith honno'n esbonio'i olwg wrthrychol ar Gymru yn ei chyfanrwydd, sy'n wahanol iawn i'r modd y mae'r rhan fwyaf o awduron modern wedi ymuniaethu â bro arbennig. Gweithred ewyllys oedd ei ymrwymiad wrth ei wlad, wedi'i hysbrydoli gan y cenedlaetholwyr Ffrengig y bu'n darllen eu gwaith yn ystod y Rhyfel Byd Cyntaf, ac roedd ei holl fywyd a gwaith yn seiliedig ar athroniaeth gyson ynghylch cyfrifoldeb moesol. Er ei fod yn perthyn i deulu Methodistaidd blaenllaw, trodd at Gatholigiaeth yn 1932, yn unol â'i gred yng ngwerth y ffydd Gatholig a'i diwylliant fel grym yn uno gwledydd

Ewrop yr Oesoedd Canol heb danseilio'u hannibyniaeth wleidyddol. Roedd ei ddelfrydau cymdeithasol yn geidwadol dros ben, â phwyslais ar y drefn batriarchaidd, swyddogaeth dadol y bendefigaeth, a phwysigrwydd traddodiad fel cyfrwng i drosglwyddo gwerthoedd moesol a diwylliannol o fewn uned hanfodol y teulu. Cyflwynodd y delfrydau hyn mewn ysgrifau gwleidyddol a luniodd ar ran Plaid Cymru, ac fe'u hamlygodd yn ei holl waith creadigol. Yn ei feirniadaeth lenyddol dangosodd (neu yn ôl rhai, fe greodd) Saunders Lewis arwyddocâd y traddodiad llenyddol fel rhan hanfodol o genedligrwydd y Cymry, yn debyg iawn i'r hyn a wnaeth T. S. Eliot i draddodiad llenyddol Lloegr. Roedd barddoniaeth glasurol yr Oesoedd Canol Catholig yn bwysig iawn iddo fel drych o drefn gymdeithasol ddelfrydol ar adeg pan gyfranogai Cymru o ddiwylliant Ewrop gyfan yn hytrach na bod yn atodiad i Loegr.

Y ddrama oedd prif gyfrwng creadigol Saunders Lewis, a hon oedd y ffurf a weddai orau i'w gred yng nghyfrifoldeb yr unigolyn i weithredu er mwyn cynnal ei egwyddorion moesol. Ond fe gyhoeddodd ddwy nofel hefyd, *Monica* (1930), a drafodir yn nes ymlaen yn y bennod hon, a *Merch Gwern Hywel* (1964), a chorff bychan ond eang o farddoniaeth sy'n cynnwys beirniadaeth lem ar gyflwr Cymru, yn ogystal â rhai o gerddi crefyddol gorau'r cyfnod modern. Roedd ei

Lewis Valentine, Saunders Lewis a D. J. Williams ar eu ffordd i Lys yr Ynadon Pwllheli ym Medi 1936. Tynnwyd y llun gan J. E. Jones.

ddawn farddol yn ffactor bwysig yn ei lwyddiant fel dramodydd hefyd, ac mae rhai o'i ddarnau grymusaf o farddoniaeth i'w cael mewn dramâu mydryddol megis *Buchedd Garmon* a *Blodeuwedd*. Estynnodd ei yrfa ddramodol dros hanner can mlynedd, gan gychwyn gyda drama Saesneg, *The Eve of St John* (1921). Ei ddrama fawr gyntaf oedd *Buchedd Garmon* yn 1937, hanes amddiffyn gwareiddiad Cristnogol Cymru rhag y barbariaid, sydd yn amlwg yn adlewyrchu'r safiad a wnaethai'r awdur ei hun y flwyddyn flaenorol.

Cychwynnodd ei gyfnod mwyaf llewyrchus fel dramodydd gyda chwblhau *Blodeuwedd* yn 1948, drama a adawyd yn anorffen yn y 1920au, pan gynrychiolai her i Ramantiaeth ffasiynol y cyfnod. Yn seiliedig ar hanes gwraig anffyddlon Lleu ym mhedwaredd gainc y Mabinogi (gweler pennod 3), mae hon yn esiampl dda o ddawn Saunders i dynnu arwyddocâd cyfoes o chwedloniaeth a hanes. Mae trasiedi Blodeuwedd yn deillio o'r ffaith ei bod yn ddiwreiddiau a heb draddodiad teuluol i roi gwerthoedd moesol iddi. Archwilir y berthynas briodasol ymhellach yn *Siwan* (1954), stori hanesyddol am wraig Normanaidd Llywelyn Fawr yn cael ei dal yn godinebu. Ar ôl i Lywelyn fynnu dial trwy grogi'i chariad, mae'r gagendor emosiynol rhwng y ddau'n ymddangos yn anorchfygol, ond yn act olaf y ddrama darlunnir y broses raddol o adfer cyd-ddealltwriaeth ac o faddau mewn modd hynod o sensitif a chredadwy. Fel yn holl waith Saunders Lewis, cyflwynir cytgord priodasol fel sylfaen angenrheidiol i les y gymdeithas gyfan, ac er bod y wraig yn graffach na'i gŵr mae'r athroniaeth batriarchaidd yn ei gwneud hi'n ddarostyngedig i'w swyddogaeth gyhoeddus ef. Trodd Saunders ei sylw at broblemau Ewrop fodern yn ystod y Rhyfel Oer mewn dwy ddrama gyffrous, *Gymerwch Chi Sigaret?* (1955) a *Brad* (1958). Bygythiad comiwnyddiaeth i wareiddiad Cristnogol Ewrop sy'n gefndir i'r ddwy, ac maent yn ymdrin ag argyfwng moesol y rhai sy'n ymladd yn ei erbyn. Ceir portread cydymdeimladol o swyddogion pendefigaidd byddin yr Almaen yn *Brad*, ond mae atgasedd yr awdur tuag at ffasgaeth yn gwbl glir. Arddelir ffydd Gatholig Saunders yn rymus yn *Gymerwch Chi Sigaret?*, lle mae'r wraig yn chwarae rôl arweiniol debyg i Beatrice yng ngwaith Dante.

Mae'r gweithiau hyn i gyd yn cyflwyno'u harwyr a'u harwresau'n cyflawni'u dyletswydd foesol i weithredu'n rhesymol yn unol â'u credoau, ac maent yn cynnig rhyw obaith o leiaf fod gweithredu o'r fath yn fuddiol. Ond erbyn y 1960au deuai gweledigaeth Saunders yn fwyfwy pesimistaidd, fel y gwelir yn y gryfaf o'i ddramâu diweddar, *Cymru Fydd* (1967), lle y mae gweithredoedd nihilaidd y gwrth-arwr yn fynegiant o'i ddadrith a'i ddirmyg tuag at ddirywiad moesol ei wlad. Ceir rhyw obaith, serch hynny, yn y posibilrwydd y gallai ei gariad ddelfrydgar fod yn feichiog, sydd efallai'n cynrychioli protestiadau cynnar Cymdeithas yr Iaith (wedi'u hysbrydoli i raddau gan ddarlith radio Saunders yn 1962, *Tynged yr Iaith*).

Anodd iawn yw gwahanu safle llenyddol Saunders Lewis oddi wrth ei ddylanwad gwleidyddol enfawr, ond ymhlith ei gyfraniadau penodol i lenyddiaeth Gymraeg yr oedd ehangu ei gorwelion i gynnwys y gorffennol Ewropeaidd, adfer yr ymwybod â natur bechadurus dyn, ac efallai yn anad dim ennyn diddordeb mewn syniadau ar waith ym mywydau pobl.

Saunders Lewis

Buchedd Garmon

Emrys yn gofyn i'r Esgob Garmon arwain ei fyddin yn erbyn y paganiaid

Gwinllan a blannodd dyn mewn bryn tra ffrwythlon,
Cloddiodd a phlannodd ynddi'r winwydden orau,
Caeodd o'i chylch a chododd dŵr yn ei chanol,
A rhoes hi i'w fab yn dreftadaeth
I gadw ei enw o genhedlaeth i genhedlaeth.
Ond cenfaint o foch a ruthrodd ar y winllan
Gan dorri ei magwyr i'w mathru a'i phori hi;
Onid iawn yw i'r mab sefyll yn awr yn yr adwy
A galw ei gyfeillion ato,
Fel y caeer y bwlch ac arbed ei etifeddiaeth?
Garmon, Garmon,
Gwinllan a roddwyd i'm gofal yw Cymru fy ngwlad,
I'w thraddodi i'm plant
Ac i blant fy mhlant
Yn dreftadaeth dragwyddol;
Ac wele'r moch yn rhuthro arni i'w maeddu.
Minnau yn awr, galwaf ar fy nghyfeillion,
Cyffredin ac ysgolhaig,
Deuwch ataf i'r adwy,
Sefwch gyda mi yn y bwlch,
Fel y cadwer i'r oesoedd a ddêl y glendid a fu.
A hon, fy arglwydd, yw gwinllan d'anwylyd di
Llannerch y ffydd o Lan Fair i Lan Fair.
A ddoi dithau i arwain fy myddin i Bowys draw?

Y delfryd gwledig

Adlewyrchir delfryd Plaid Cymru o'r gymuned wledig gyflawn yn llawer o lenyddiaeth y cyfnod. Roedd y delfryd yn berthnasol i gefn gwlad Cymru gyfan, wrth reswm, ond daeth pentref Rhydcymerau yng ngogledd sir Gaerfyrddin i fod yn symbol ohono yn y llenyddiaeth am fod dau awdur pwysig â'u gwreiddiau yno, sef D. J. Williams a Gwenallt. Sonia D. J. Williams (1885–1970) am ei fagwraeth yn Rhydcymerau yng nghyfrol gyntaf ei hunangofiant. Mae *Hen Dŷ Ffarm* (1953) yn glasur pwysig sy'n disgrifio cymuned amaethyddol glòs gan dynnu'n drwm ar draddodiad y storïwr llafar. D. J. Williams oedd yn gyfrifol am boblogeiddio'r ymadrodd 'milltir sgwâr' am fro gynefin, gyda'i awgrym o gyfanrwydd a chytgord. Ei waith pwysicaf yw ei straeon byrion, a gyhoeddwyd yn dair cyfrol yn 1936, 1941 a 1949, sy'n ffurfio trioleg dan y teitl *Storïau'r Tir*. Mae'u datblygiad yn adlewyrchu dirywiad y bywyd gwledig yn ystod oes yr awdur, o fyd cyflawn y straeon cynnar i'r chwalfa dan bwysau o'r tu allan. Roedd D. J. Williams yn ddychanwr medrus, ac fel heddychwr a chenedlaetholwr Cristnogol ysgrifennodd yn ddeifiol am jingoistiaeth filitaraidd dau ryfel byd.

Un o alltudion Rhydcymerau oedd Gwenallt (David James Jones, 1899–1968), gan fod ei rieni wedi mudo oddi yno i weithfeydd Cwm Tawe. Bu'n sosialydd brwd yn ei ieuenctid, ac aeth i'r carchar yn ystod y Rhyfel Byd Cyntaf am wrthod ymladd dros imperialaeth Brydeinig, ond dan ddylanwad y Blaid Genedlaethol newydd trodd yn ôl at ei etifeddiaeth Gristnogol a daeth i weld cymuned wledig ei wreiddiau teuluol fel ateb i argyfwng y Gymru ddiwydiannol. Mae cerddi Gwenallt yn llefaru dros genedlaethau o bobl yr ardaloedd diwydiannol a deimlai fod eu gwreiddiau yng nghefn gwlad, ac eto safai ef ei hun ar wahân i'r ddau fyd fel darlithydd yn y Gymraeg yng Ngholeg Prifysgol Cymru Aberystwyth. Ceisiai synthesis rhwng y ddau, gan werthfawrogi gofal sosialaeth dros gyfiawnder (gweler isod ar ei ddarlun o'r cymoedd diwydiannol), ond roedd y glorian wedi'i phwyso o blaid y byd gwledig am resymau ideolegol. Mae rhai o'i gerddi mwyaf pwerus yn ymdrin â natur bechadurus dyn, gan fod honno'n tanseilio delfrydaeth sosialaidd yn ei olwg ef, a gwelai'r Dirwasgiad yn argyfwng ysbrydol, yn hytrach nag un economaidd yn unig. Cyhoeddodd Gwenallt bum cyfrol o farddoniaeth, a'r rhai pwysicaf yw'r gyntaf, *Ysgubau'r Awen* (1939), a'r drydedd, *Eples* (1951). Roedd effaith ei arddull uniongyrchol a garw yn ysgytwol ar ôl telynegion coeth y genhedlaeth flaenorol, ac mae'i waith yn cyfuno realaeth lom a gweledigaeth ddelfrydol. Un o'i gerddi mwyaf

D. J. Williams

Harri Bach

Nid oes tystiolaeth bendant a aned Harri Bach yn llewys ei grys ai peidio; ond gwyddys hyd sicrwydd iddo fyw y rhan helaethaf o'i oes yn y ddiwyg honno, ac iddo farw felly. Canys gwladwr ydoedd Harri hyd fôn ei gern, – darn o graig blaenau Cothi wedi llithro i ddannedd y peiriant modern. Hanoedd o blwyf Caeo, Caeo Goch yr hen Rufeiniaid gynt, gwlad rywiog, anesmwyth, hardd, a Mynydd Mallaen yn rhimyn tywyll y tu ôl iddi. Pe gofynnai rhywun am ddisgrifiad o Harri mewn un gair, byddai 'mochyn-bach' mor agos ati â dim. Nid mochyn, cofier, ond mochyn bach, y creadur bach glanaf, serchocaf, digrifaf o bob un. Golau o bryd ydoedd, crwn a byrgoes, a chanddo'r mymryn bach lleiaf o drwyn Barcshir; ac yr oedd gwrych ei war fer, gadarn, yn disgleirio fel gwifrau arian. Ni sylwodd neb pa bryd y dechreuodd ei wallt a'i fwstas nerthol ddechrau britho a gwynnu, gan mai llwydwyn ydoedd ei wawr naturiol drosto. Ychwanegid at yr effaith hon drachefn gan ei grefft fel saer maen, ei grys a'i gotwm o wlân defaid Pencilaren, a llwch y cerrig yn llanw eu plygion.

(O 'Y Cwpwrdd Tridarn' yn *Storïau'r Tir Coch*)

adnabyddus yw 'Rhydcymerau', sy'n brotest rymus yn erbyn y polisi coedwigo a fygythiai ei ddelfryd.

Ardaloedd Cymraeg y gorllewin oedd lleoliad pennaf delfryd gwledig y cenedlaetholwyr. Cynhyrchodd gwlad ddwyreiniol y gororau lenyddiaeth lai agored wleidyddol, gan ddefnyddio'r Saesneg o raid, ac yn adlewyrchu teyrngarwch rhanedig, ond serch hynny yn dangos pryder am ddirywiad cymunedau gwledig. Awdur addawol o'r ardal honno oedd Geraint Goodwin (1903–41) o'r Drenewydd, a fu'n newyddiadurwr yn Stryd y Fflyd, ond daeth diwedd trasig i'w yrfa lenyddol pan fu farw o'r ddarfodedigaeth. Ei waith mwyaf adnabyddus yw ei nofel gyntaf, *The Heyday in the Blood* (1936), darlun byw o fywyd traddodiadol pentref Cymreig dan fygythiad y byd modern. Yn ogystal â dwy nofel arall cyhoeddodd Goodwin gasgliad rhagorol o straeon byrion, *The White Farm* (1937). Mae ganddo ryw duedd i ramanteiddio wrth gyferbynnu rhwng diwylliant Seisnigedig arwynebol y dref a Chymreictod dwfn y wlad. Llenor pwysig arall o ardal y ffin yw Peggy Whistler (1909–58), a gyhoeddodd nofelau a straeon byrion dan y ffugenw Margiad Evans (cyfenw ei hynafiaid o Gymru). Yn ferch ifanc treuliodd dipyn o amser yn sir Henffordd ger y ffin, ac ymuniaethai â Chymru yn ei dychymyg. Cyhoeddodd bedair nofel yn y 1930au, gan drin y ffin fel lleoliad gwrthdaro, ond fe geir ei gwaith gorau yn ei chasgliad o straeon byrion, *The Old and the Young* (1948), sy'n llwyddo i gyfleu profiadau synhwyrus yn fyw iawn.

Mae deuoliaethau'r ffin hefyd yn bwysig fel cefndir i waith Emlyn Williams (1905–87), dramodydd a gafodd gryn lwyddiant yn Lloegr. Yn ei ddrama fwyaf adnabyddus, *The Corn is Green* (1938), gwelir dyn ifanc yn cael ei ddieithrio gan ei addysg oddi wrth ei gymuned wledig yng Nghymru, sy'n seiliedig ar bentref genedigol Williams yn sir y Fflint. Mae ei waith yn cyfuno realaeth â grym telynegol, ond ei wendid yw sentimentaliaeth a thuedd at felodrama. Ceir ymdriniaeth fwy cymhleth â thema dieithrio trwy addysg yn nofelau Raymond Williams a drafodir yn y bennod nesaf.

Llenyddiaeth y de diwydiannol

Roedd y don gyntaf o lenyddiaeth Saesneg Cymru a ddaeth yn y 1930au yn ganlyniad anochel i gynnydd y Saesneg yn y de-ddwyrain. Roedd rhai o'r awduron o deuluoedd Cymraeg, ond ychydig o addysg ffurfiol a gawsant yn y Gymraeg, a thueddent i gysylltu'r iaith â phiwritaniaeth lethol y capeli. Byddai eu syniadau am eu cynulleidfa yn pendilio rhwng de Cymru a Llundain, lle'r oedd eu cyhoeddwyr, ond Saesneg oedd yr iaith gyffredin p'run bynnag. Y garfan gyntaf o awduron y gellir eu galw'n Eingl-Gymreig oedd y nofelwyr a ysgrifennai am ddioddefaint cymunedau'r cymoedd mewn cyfnod o argyfwng economaidd. Roedd gan y deunydd ei hun ergyd radicalaidd, am ei fod yn tynnu sylw at anghyfiawnder cymdeithasol yn un o ardaloedd mwyaf difreintiedig Prydain, a rhannai nifer o'r awduron y daliadau adain-chwith a oedd yn ffasiynol yn Lloegr yn y 1930au, ond at ei gilydd cynrychiolir rhychwant helaeth o safbwyntiau gwleidyddol gan y llenyddiaeth. Un o'i chryfderau mwyaf yw'r ffaith bod y rhan fwyaf o'r awduron yn medru ysgrifennu am fywyd y dosbarth gweithiol o brofiad personol, yn wahanol i ddeallusion dosbarth-canol cylch Auden a Spender.

Ceir deunydd arloesol am fywyd y cymoedd yng ngwaith Joseph Keating (1871–1934), ond nofel ddiwydiannol gyntaf cyfnod y Dirwasgiad oedd *Rhondda Roundabout* yn 1934 gan Jack Jones (1884–1970), mab i löwr o Ferthyr Tudful. Fel yr awgryma'i theitl, darlun bywiog a lliwgar o amrywiaeth bywyd y Rhondda a geir ynddi, a chedwir cydbwysedd rhwng y gwahanol elfennau. Mewn nifer o nofelau eraill olrheiniodd Jack Jones hanes y de diwydiannol dros sawl cenhedlaeth gyda dawn storïwr naturiol. Darlun mwy llwm o lawer a geir yn nofel Gwyn Jones, *Times Like These* (1936), sy'n darlunio effaith andwyol streic fawr 1926 ar fywyd teulu tlawd. Ganed Gwyn Jones yn y Coed-duon yng Ngwent yn 1907, ac mae'i waith disglair fel ysgolhaig, beirniad a llenor (gan gynnwys ei gyfieithiad rhagorol o'r Mabinogion ar y cyd â Thomas Jones) wedi'i wneud yn ffigwr canolog yn llenyddiaeth Saesneg Cymru ers dros hanner canrif.

Gwelir ymrwymiad gwleidyddol agored yn y nofel ddiwydiannol am y tro cyntaf yng ngwaith Lewis Jones (1897–1939), glöwr a chomiwnydd gweithredol o'r Rhondda a luniodd ddwy nofel tua diwedd ei fywyd byr a phrysur, *Cwmardy* (1937), a'i dilyniant, *We Live* (1939). Mae'r rhain yn darlunio datblygiad gwleidyddol glöwr ifanc o'r enw Len (sydd wedi'i seilio'n bennaf ar brofiadau'r awdur ei hun), ei ymwybyddiaeth gynyddol o anghyfiawnder ac o bŵer undebau'r gweithwyr, trwy ymgyrchoedd y 1930au, gan gyrraedd uchafbwynt gyda'i ferthyrdod dros achos y Gweriniaethwyr yn Sbaen. Mae nofelau Lewis Jones yn nodedig am eu hymdriniaeth â merched, a gwelir Mary, gwraig Len, yn ymwrthod â rôl gonfensiynol y fam trwy chwarae rhan weithredol ym mywyd gwleidyddol y cwm. Er bod melodrama ac arddull chwyddedig yn wendidau ganddo, mae ynni rhyfeddol yng ngwaith Lewis Jones sy'n deillio o'i gred bod gan bobl y grym i lunio'u dyfodol eu hunain. Awdur arall sy'n cyflwyno safbwynt sosialaidd digymrodedd yw Gwyn Thomas (1913–81), mab

Gwyn Thomas.

i löwr o'r Rhondda a enillodd ysgoloriaeth i Rydychen a dod yn athro ieithoedd modern. Ysgrifennodd ei nofel gyntaf, *Sorrow For Thy Sons*, yn 1936, ond fe'i gwrthodwyd gan Gollancz am fod ei darlun o fywyd ar y dôl mor llwm. Aeth Thomas ati wedyn i greu dull comig ac abswrdaidd a'i galluogodd i ymdrin â dioddefaint ei bobl yn anuniongyrchol, gan fynegi ei ddicter trwy ffraethineb ffyrnig, dull a welir ar ei orau yn *The Alone to the Alone* (1947). Ei waith mwyaf uchelgeisiol yw'r nofel hanesyddol anghonfensiynol *All Things Betray Thee* (1949), sy'n defnyddio digwyddiadau Terfysgoedd Merthyr yn 1831 fel cefnlen i ymdrin â lle'r artist ym mrwydr barhaus y dosbarth gweithiol. Yr un yw cefndir ei ddrama *Jackie the Jumper* (1963). Cafodd Gwyn Thomas enw gwael oherwydd ei sylwadau difrïol am yr iaith Gymraeg, ac ar ôl Caradoc Evans ei waith ef yn anad neb sy'n dangos yr elyniaeth Eingl-Gymreig tuag at ddiwylliant Anghydffurfiol Cymru wledig.

Fe fu tuedd gan rai i drin delweddau poblogaidd o'r cymoedd ar gyfer darllenwyr Lloegr. Fe'i gwelir i ryw raddau yng ngwaith Rhys Davies, ac aeth Richard Llewellyn â'r peth i eithafion. Roedd Rhys Davies (1903–78) yn fab i siopwr o'r Rhondda, a llwyddodd i wneud gyrfa iddo'i hun fel awdur proffesiynol yn Llundain, gan gynhyrchu llif o nofelau a straeon byrion ar amrywiaeth o bynciau. Darluniodd fywyd y cymoedd o safbwynt neilltuol y dosbarth *petit bourgeois*, a lluniodd ffantasïau am gefn gwlad Cymru hefyd, fel yn ei nofel fwyaf adnabyddus, *The Black Venus* (1944). Roedd Davies wedi'i gyfareddu gan gymeriadau lliwgar a heriai gonfensiwn, ac mae'u rhywioldeb yn flaenllaw yn ei waith. Roedd Richard Llewellyn (1906–83) yn awdur llawer mwy confensiynol a driniodd stereoteipiau Cymreig yn ddeheuig iawn i gynhyrchu llyfr aruthrol o lwyddiannus, y nofel Gymreig enwocaf un, *How Green Was My Valley* (1939). Mae'r teitl ysbrydoledig yn cyfleu thema fythaidd y nofel, Eden y gymuned ddiwydiannol gynnar wedi'i difetha gan drachwant a dyfodiad estroniaid â'u sosialaeth rwygol. Er bod *How Green Was My Valley* yn nofel ddifyr iawn â chryn dipyn o rym barddonol, mae'r delweddau arwynebol ddiniwed yn cuddio math o genedlaetholdeb peryglus y gellir yn deg ei alw'n ffasgaeth oherwydd y pwyslais senoffobig ar burdeb yr hil a'r modd y mae'n mawrygu rhinweddau militaraidd. Mae dyddiad cyhoeddi'r nofel yn arwyddocaol iawn yn hynny o beth.

Mae'n debyg mai'r nofel oedd y ffurf fwyaf addas ar gyfer darluniau dogfennol o fywyd proletaraidd, ond fe lwyddodd y bardd Idris Davies (1905–53) i wneud rhywbeth tebyg trwy gefnu ar bynciau esthetig arferol barddoniaeth er mwyn mynd i'r afael â hagrwch

Idris Davies.

cyffredin ei amgylchfyd diwydiannol, gan ddilyn arweiniad T. S. Eliot a beirdd adain-chwith y 1930au. Roedd Idris wedi gweithio dan ddaear mewn pyllau yng Nghwm Rhymni, ond ar ôl i streic 1926 ei adael yn ddi-waith ailgydiodd yn ei addysg, a threuliodd y rhan fwyaf o'i fywyd yn athro ysgol yn Llundain. Dechreuodd ysgrifennu cerddi yn Gymraeg, a oedd yn iaith gyntaf iddo, ond dewisodd y Saesneg yn brif gyfrwng, yn rhannol am iddo wrthryfela yn erbyn crefydd y capel, a hefyd oherwydd yr ysbrydoliaeth a gafodd gan waith beirdd Saesneg fel Shelley a Housman. Mae safon ei waith yn anwastad, ond ar ei orau mae'n cyfleu dicter grymus mewn cerddi dychanol deifiol fel yr un a ddyfynnir isod. Mae Idris Davies yn enghraifft glasurol o'r ansicrwydd ynghylch llais priodol sydd wedi bod yn broblem fawr i nifer o feirdd Saesneg Cymru. Mae'i farddoniaeth yn ymddangos yn ddynwaredol weithiau, ond fe ddatblygodd ei dechneg ei hun o adleisio eironig a chyferbynnu er mwyn elwa ar yr union wendid hwnnw, gan wneud defnydd effeithiol o ffurf y dilyniant yn ei ddau waith mawr, *Gwalia Deserta* (1938) sy'n darlunio effeithiau'r Dirwasgiad, a *The Angry Summer* (1943) sy'n ymdrin â streic y glowyr yn 1926. Yr olaf yw ei gampwaith, cerdd aml-leisiol sy'n dramateiddio gobeithion a thensiynau'r frwydr angerddol honno.

At ei gilydd ni roddodd awduron Cymraeg lawer iawn o sylw i'r de diwydiannol, a phan fu iddynt sôn amdano tueddai eu safbwynt i fod yn un negyddol wedi'i liwio gan y delfryd gwledig, yn enwedig mewn barddoniaeth. Y condemniad mwyaf eithafol, ac un sydd wedi

Idris Davies

Gwalia Deserta XXVI

The village of Fochriw grunts among the higher hills;
The dwellings of miners and pigeons and pigs
Cluster around the little grey war memorial.
The sun brings glitter to the long street roofs
And the crawling promontories of slag,
The sun makes the pitwheels to shine,
And praise be to the sun, the great unselfish sun,
The sun that shone on Plato's shoulders,
That dazzles with light the Taj Mahal.
The same sun shone on the first mineowner,
On the vigorous builder of this brown village,
And praise be to the impartial sun.
He had no hand in the bruising of valleys,
He had no line in the vigorous builder's plans,
He had no voice in the fixing of wages,
He was the blameless one.
And he smiles on the village this morning,
He smiles on the far-off grave of the vigorous builder,
On the ivied mansion of the first mineowner,
On the pigeon lofts and the Labour Exchange,
And he smiles as only the innocent can.

cythruddo rhai beirniaid o'r cymoedd, yw cerdd Saunders Lewis yn darlunio'r parlys ysbrydol a achoswyd gan y Dirwasgiad, 'Y Dilyw 1939', lle dywedir am yr anialwch diwydiannol, 'Yma bu unwaith Gymru'. Dengys barddoniaeth Gwenallt fwy o dosturi tuag at ddioddefaint pobl y cymoedd, ac mae dicter y sosialydd ifanc i'w deimlo o hyd ganddo, ond mae ef hefyd yn tueddu i roi portread negyddol iawn o weithwyr diwydiannol fel torf ddirywiedig ac is-ddynol, ag un nodwedd achubol yn unig, sef eu crefydd a oedd yn fodd iddynt godi uwchlaw eu hamgylchiadau. Roedd J. Kitchener Davies (1902–52) o sir Aberteifi yn gallu ysgrifennu am Gwm Rhondda gydag awdurdod, gan iddo dreulio'r rhan fwyaf o'i fywyd yn gweithio yno fel athro ac ymgyrchydd dros Blaid Cymru. Achosodd ei ddrama *Cwm Glo* helynt mawr yn 1935 oherwydd ei hymdriniaeth agored ag anfoesoldeb. Roedd rhai'n ei gweld yn sarhad ar enw da'r glowyr a'u teuluoedd, ond ymgais oedd y ddrama i fynd i'r afael â'r argyfwng moesol a wynebai gymoedd y de. Yn ei waith mwyaf sylweddol, y gerdd hir hunanymchwiliol, *Sŵn y Gwynt sy'n Chwythu*, a ddarlledwyd ar y radio ychydig ddyddiau cyn i'r bardd farw yn 1952, darlunnir Cwm Rhondda Seisnigedig yn ddiamddiffyn rhag y gwynt difaol, mewn cyferbyniad â'r hen gartref yn sir Aberteifi a'i gloddiau clyd. Mae rhai o straeon byrion Kate Roberts wedi'u lleoli yn y de diwydiannol, gan ddarlunio effeithiau tlodi ar fywyd teuluol, a cheir golwg ar gymuned lofaol trwy lygaid gogleddwr yn y nofel *William Jones* (1944) gan T. Rowland Hughes, ond roedd y ddau awdur yn fwy cysurus pan yn ymdrin â chymunedau chwareli llechi eu cynefin yn sir Gaernarfon.

Ffuglen Gymraeg

Herciog iawn fu datblygiad y nofel Gymraeg yn ystod yr ugeinfed ganrif, ac ni ffurfiwyd traddodiad parhaus o gwbl. Roedd dylanwad Daniel Owen yn aruthrol ar ddechrau'r ganrif, ond ni ddaeth yr un nofelydd o fewn cyrraedd ei safonau uchel ef. Cafwyd rhywfaint o gynnydd rhwng y ddau ryfel, gyda nofel E. Tegla Davies, *Gŵr Pen y Bryn* (1923), sy'n ymdrin â radicaliaeth helyntion y degwm yn y ganrif flaenorol, a hefyd bwnc anodd tröedigaeth grefyddol. Mae nofel fer Saunders Lewis, *Monica*, wedi bod yn destun dadlau ers ei chyhoeddi yn 1930, gan fod Saunders wedi mynd ati'n fwriadol i wneud iawn am y diffyg sylw i bechod yn llenyddiaeth Gymraeg. Mae'r prif gymeriad yn wraig gnawdol a chwbl hunanol sy'n defnyddio'i rhywioldeb i reoli'i gŵr, yn debyg iawn i Flodeuwedd o ran ei nwyd difaol. Lleolir y nofel yng Nghaerdydd ac Abertawe (lle'r oedd Saunders yn byw ar y pryd), ac mae'n rhoi darlun deifiol o fywyd gwag a diwreiddiau y maestrefi.

Mae Kate Roberts (1891–1985) wedi cael ei galw'n 'frenhines ein llên', ac mae'r teitl yn briodol ar un olwg oherwydd ei statws aruthrol ym maes ffuglen Gymraeg, yn enwedig ar ffurf y stori fer. Fe'i magwyd yn Rhosgadfan, sir Gaernarfon, ac ar ôl astudio gyda John Morris-Jones ym Mangor aeth yn athrawes Gymraeg. Mae'i hiaith, felly, yn gyfuniad cyfoethog o lafar naturiol ac arddull lenyddol glasurol. Kate Roberts oedd yr awdur Cymraeg cyntaf i efelychu'r meistri Ewropeaidd trwy ddefnyddio'r stori fer i archwilio bywyd mewnol ei chymeriadau, ac eto heb golli'r grym a ddeilliai o draddodiad llafar y stori Gymraeg. Ymranna'i gyrfa lenyddol yn ddau gyfnod gwahanol, y cyntaf rhwng 1925 a 1937 pan fu'n byw yn y de ac yn ysgrifennu am bobl ddosbarth gweithiol a'u hymdrech yn erbyn

Kate Roberts.

tlodi, a'r ail o 1949 i 1981, pan fu'n byw yn Ninbych. Mae'i gwaith diweddar yn ymwneud yn bennaf â phroblemau seicolegol cymdeithas fwy llewyrchus ond drylliedig. Cyfleir y problemau hynny'n rymus iawn mewn nofel fer a gyhoeddwyd yn 1962, *Tywyll Heno* (mae'r teitl yn ddyfyniad o Ganu Heledd, gw. pennod 2). Ni ddylid gorbwysleisio'r gwahaniaeth rhwng y ddau gyfnod, fodd bynnag, gan mai effeithiau emosiynol caledi yw ei phrif ddiddordeb yn ei gwaith cynnar hefyd, yn enwedig yn y casgliad rhagorol o straeon a ddynododd ddiwedd y cyfnod hwnnw, *Ffair Gaeaf* (1937). Mae hiwmor braidd yn brin yng ngwaith Kate Roberts, ond fe welir ochr ysgafnach yn ei straeon craff am blentyndod yn y casgliad *Te yn y Grug* (1959).

Cychwynnodd y nofel ddiwydiannol yn y Gymraeg gyda *Traed mewn Cyffion* Kate Roberts yn 1936, clasur bychan o ran maint ond epig o ran ysbryd sy'n adrodd hanes teulu yn rhychwantu pedair cenhedlaeth, a thrwyddynt hwy yn cynrychioli'r symudiadau poblogaeth a greodd gymunedau diwydiannol sir Gaernarfon, gan gyrraedd uchafbwynt gyda thrychineb y Rhyfel Mawr. Ychydig iawn sydd gan Kate Roberts i'w ddweud am waith diwydiannol fel y cyfryw, gan ei bod yn canolbwyntio ar fyd y cartref yn bennaf. Mae gwaith y chwarel ei hun yn fwy canolog yn nofelau T. Rowland Hughes (1903–49), mab i chwarelwr o Lanberis. Lluniwyd ei bum nofel ym mlynyddoedd olaf ei fywyd pan oedd yn dioddef o sglerosis ymledol, ac maent yn seiliedig ar ei atgofion am gymuned ei febyd. Yr orau o'r pump yw *Chwalfa* (1946), hanes y caledi a'r chwalfa gymdeithasol a achoswyd gan y streic hir yn chwareli'r Penrhyn ar ddechrau'r ganrif. Mae Rowland Hughes yn debyg i Kate Roberts yn y ffordd y mae'n portreadu dewrder arwrol ei bobl, ond mae'i olwg ar fywyd yn fwy optimistaidd, ac mae'i gymeriadau'n cydweddu'n fwy â delfryd y werin rinweddol. Dryllir y delfryd hwnnw'n llwyr gan y fwyaf o nofelau'r chwareli llechi, *Un Nos Ola Leuad* (1961) gan Caradog Prichard, nofel ysgytwol sy'n darlunio cymuned yn y broses o ymddatod, wedi'i hadrodd gydag eglurder hunllefus gan wallgofddyn yn ail-fyw ei blentyndod.

Moderniaeth

Roedd amryw agweddau ar y duedd fodernaidd yn llenyddiaeth Cymru yn y 1930au a'r 1940au, ac nid oedd yr awduron a drafodir yn yr adran hon yn ffurfio mudiad clòs o gwbl. Yr hyn sydd ganddynt yn gyffredin yw'r modd yr oedd eu gwaith yn her i ddulliau confensiynol o ysgrifennu (ac o ddarllen), a dyna paham y mae'r llenyddiaeth hon gyda'r fwyaf anodd, ond hefyd y fwyaf dychmygus a chyffrous a gynhyrchodd Cymru erioed. I ryw raddau roedd moderniaeth yn adwaith yn erbyn ffasiynau llenyddol y 1930au, ac yn lle realaeth ddogfennol ac ymrwymiad gwleidyddol cafwyd arddull farddonol hynod bersonol ac astrus ac elfen swrrealaidd gref. Ond ar y llaw arall, ni ellir gwadu nad oedd ysgrifennu modernaidd yn Saesneg ac yn Gymraeg yn cyfleu argraff rymus o awyrgylch pryderus y blynyddoedd cyn ac yn ystod yr Ail Ryfel Byd.

Un nodwedd ar foderniaeth yn Lloegr oedd y defnydd o gyfeiriadaeth lenyddol i ehangu'r cyd-destun diwylliannol. Defnyddiwyd y dechneg honno'n helaeth gan rai awduron Eingl-Gymreig fel ffordd o ddatgan eu perthynas â'r dreftadaeth Gymraeg a fuasai'n gaeedig iddynt oherwydd colli'r iaith. Y pwysicaf o'r rhain yw David Jones (1895–1974), bardd ac artist a oedd yn un o Gymry Llundain. Yn ei ddwy gerdd hir, *In Parenthesis* (1937), sy'n seiliedig ar ei brofiadau fel milwr cyffredin gyda'r Ffiwsilwyr Cymreig yn y Rhyfel Byd Cyntaf, a *The Anathémata* (1952), mae'n dathlu amrywiaeth diwylliannol Ynys Prydain trwy dynnu ar rychwant eang o ddeunydd hanesyddol a chwedlonol mewn ymgais i adfer cysylltiadau coll â'r gorffennol. Ymfalchïai'r nofelydd John Cowper Powys (1872–1963) yn ei dras Gymreig, ac mae hanes a mytholeg Cymru yn elfennau amlwg yng ngwead cymhleth ei nofelau diweddar, fel *Owen Glendower* (1940) a *Porius* (1951).

Dylan Thomas (1914–53) yw'r enwocaf o holl feirdd Cymru, oherwydd ei ffordd o fyw liwgar a hunanddinistriol llawn cymaint, efallai, ag oherwydd celfyddyd a grym telynegol ei farddoniaeth. Yn fab i Gymry Cymraeg o'r gorllewin a oedd wedi ymuno â dosbarth canol Abertawe, ni chafodd ei fagu i siarad Cymraeg, ond fe etifeddodd ddiléit ei dad mewn barddoniaeth Saesneg. Roedd bohemiaeth Dylan yn wrthryfel yn erbyn ei fagwraeth swbwrbaidd gyfyng a hefyd yn erbyn piwritaniaeth Gymreig lethol. Ond fe dreuliodd dipyn o amser yn ei ieuenctid gyda pherthnasau yn y wlad, a bu'r atgofion hynny yn ysbrydoliaeth i lawer o'i farddoniaeth aeddfed. Roedd ei agwedd tuag at Gymru'n ddeublyg iawn, a bu'r dynfa at fywyd llenyddol Llundain yn gryf, ond serch hynny roedd Abertawe a chefn gwlad sir Gaerfyrddin yn gefndiroedd pwysig i'w waith, a dechreuodd cyfnod mwyaf creadigol ei fywyd pan ddychwelodd i fyw yng Nghymru tua diwedd y rhyfel, gan ymgartrefu yn y pen draw yn Nhalacharn. Mae rhywioldeb llencyndod yn flaenllaw iawn yn ei gerddi cynnar, ac mae'u harddull yn drawiadol ond braidd yn dywyll, fel y straeon swrrealaidd yn y casgliad *The Map of Love* (1939). Bu'r bomio ar Lundain yn ystod y rhyfel yn ysgogiad i rai o'i gerddi mwyaf angerddol, megis 'Ceremony after a Fire Raid', cerdd sy'n datgan sancteiddrwydd bywyd gyda defnydd helaeth o fytholeg Gristnogol. Mae myth Gardd Eden yn amlwg iawn yn ei waith diweddar, er enghraifft yn y gerdd afieithus 'Fern Hill', sy'n ail-greu atgofion am ymweliadau mebyd â ffarm deuluol gydag ymwybod cryf ag anrhaith amser. Mae gwead geiriol cywrain y gerdd honno yn nodweddiadol o grefft ofalus barddoniaeth Dylan Thomas, sydd o bosibl yn dangos dylanwad cerdd dafod Gymraeg. Mae gwrthrychedd newydd yn ei waith diweddar, ac yn sgil hynny daw mwy o gydymdeimlad dynol, sydd i'w weld yn ei straeon comig ac yn enwedig yn ei 'ddrama ar gyfer lleisiau', *Under Milk Wood* (cyhoeddwyd 1954).

Dylan Thomas.

Honno yw gwaith mwyaf poblogaidd Dylan Thomas, dathliad hyfryd o fywyd pobl Llareggub, yn seiliedig yn bennaf ar dref Talacharn. Roedd bri mawr ar waith Dylan erbyn diwedd ei fywyd, yn enwedig yn America, ac yn y wlad honno y bu farw tra ar daith ddarllen yn 1953.

Dau awdur a fu'n agos gysylltiedig â Dylan Thomas ar un adeg, ond a wnaeth eu cyfraniadau arbennig eu hunain i lenyddiaeth Cymru, oedd Vernon Watkins (1906–67) a Glyn Jones (1905–95). Mae'r bardd Vernon Watkins yn un arall o'r Eingl-Gymry a fagwyd yn Saesneg gan rieni o Gymry Cymraeg. Byddai ef a'i gyfaill Dylan Thomas yn trafod cerddi'i gilydd, ond o ran cymeriad roedd Watkins yn hollol wrthwyneb i Thomas, yn ddyn mewnblyg a threfnus a weithiai mewn banc yn Abertawe, er ei fod yr un mor ymroddedig i grefft barddoniaeth. Roedd byrhoedledd bywyd yn destun pryder mawr iddo, cymaint felly nes i'w nerfau chwalu yn ei ugeiniau cynnar, ac mae'i farddoniaeth yn ymchwil fetaffisegol am ateb i broblem amser, gan arddel trefn dragwyddol. Symudodd tuag at athroniaeth Gristnogol, ond roedd chwedl Taliesin y bardd-weledydd yn atyniadol iawn iddo, gyda'i thema o aileni. Mae barddoniaeth Vernon Watkins yn gofyn llawer gan y darllenydd, ond mae'n cynnig llawer yn ôl hefyd wrth i rywun ymgyfarwyddo â'i chyfundrefn symbolaidd astrus ond cyson, wedi'i gwreiddio yn nhirlun Bro Gŵyr a olygai gymaint iddo.

Ganed Glyn Jones ym Merthyr Tudful, ac mae bywyd prysur y dref ddiwydiannol honno yn ganolog yn ei waith, yn cydbwyso bro wledig ei deulu yn Llansteffan yn sir Gaerfyrddin. Er mai'r Gymraeg oedd ei iaith gyntaf, Saesneg oedd iaith ei addysg a'i brofiad cyntaf o lenyddiaeth, ac felly roedd yn anochel mai'r Saesneg fyddai cyfrwng ei ysgrifennu creadigol ei hun. Roedd yn adnabod y diwylliant Cymraeg o'r tu fewn, serch hynny, ac ymdrechai i hyrwyddo cydddealltwriaeth rhwng dwy lenyddiaeth Cymru, fel y gwelir yn arbennig yn ei astudiaeth *The Dragon Has Two Tongues* (1968). Mae'i ddatganiad enwog ar ei ddefnydd o'r Saesneg yn osgoi unrhyw dyndra a allai fodoli rhwng cyfrwng a deunydd (yn wahanol iawn i R. S. Thomas, er enghraifft), ond mae'n brawf o bwysigrwydd Cymru iddo ef, fel i lawer o awduron Eingl-Gymreig eraill:

> While using cheerfully enough the English language, I have never written in it a word about any country other than Wales, or any people other than Welsh people.

Gwnaeth Glyn Jones gyfraniad cyfoethog i lenyddiaeth Saesneg Cymru dros fwy na hanner canrif, gan ddechrau gyda chasgliad o straeon

Glyn Jones

'Morning'

On the night beach, quiet beside the blue
Bivouac of sea-wood, and fresh loaves, and the
Fish baking, the broken ghost, whose flesh burns
Blessing the dark bay and the still mast-light,
Shouts, 'Come'.
    A naked man on deck who heard
Also cockcrow, turning to the pebbles, sees
A dawn explode among the golden boats,
Pulls on his sea-plaid, leaps into the sea.

Wading the hoarfrost meadows of that fiord's
Daybreak, he, hungering fisherman, forgets
Cockcrow tears, dark noon, dead god, empty cave,
All those mountains of miraculous green
Light that swamped the landing-punt, and kneels,
Shivering, in a soaked blouse, eating by the
Blue blaze the sweet breakfast of forgiveness.

byrion, *The Blue Bed*, yn 1937, a'i ddilyn gan *Poems* yn 1939. Daeth ei nofelau yn ddiweddarach, a'r orau ohonynt yw *The Island of Apples* (1965), cyfuniad unigryw o ddychymyg a sylwgarwch, gydag Afallon ffantasi llencyndod wedi'i gosod o fewn amgylchfyd llachar o real ym Merthyr. Fe'i hystyriai Glyn Jones ei hun yn fardd yn anad dim, ac mae'i ddiléit yn sŵn geiriau a delweddaeth yn hydreiddio'i holl waith, wedi'i ysbrydoli gan Gywyddwyr yr Oesoedd Canol. Mae'r ansawdd weledol yn un o nodweddion llenyddiaeth Saesneg Cymru, ac mae'n arbennig o gryf yng ngwaith Glyn Jones oherwydd ei ddiddordeb brwd yng nghelfyddyd arlunio. Er bod yn well ganddo delynegiaeth bersonol Dylan Thomas na chydwybod gymdeithasol Idris Davies, mae'i waith yn llawn cynhesrwydd dynol a chydymdeimlad â hynodrwydd pobl. Mae'i flaenoriaethau'n glir yn ei gerdd hyfryd o ffraeth, 'Merthyr' (y rhagarweiniad gorau i'w waith), lle mae'n arddel yn y pen draw ei berthynas â phobl ei dref enedigol yn hytrach na harddwch y bryniau o'i hamgylch.

Er bod y mwyafrif o'r don gyntaf o awduron Eingl-Gymreig wedi'u magu yn ardaloedd diwydiannol Morgannwg, daeth cefn gwlad de sir Gaerfyrddin i fod yn gartref ysbrydol ac yn ysbrydoliaeth i nifer ohonynt. Roedd Fern Hill Dylan Thomas ym mhlwyf Llan-gain, ychydig filltiroedd o gartref teulu Glyn Jones yn Llansteffan. Aeth Dylan ei hun i fyw yn Nhalacharn, ac yno hefyd yr oedd cartref y nofelydd Richard Hughes, awdur *A High Wind in Jamaica* (1929). Un o Langadog oedd y bardd a'r golygydd Keidrych Rhys, a bu'n byw yn ystod y rhyfel yn Llan-y-bri gyda'i wraig Lynette Roberts, hithau hefyd yn fardd neilltuol a gofnododd ei bywyd unig fel dieithryn mewn pentref gwledig. Cyfraniad pwysicaf Keidrych Rhys i lenyddiaeth Saesneg Cymru oedd ei waith fel golygydd y cylchgrawn *Wales*, a sefydlwyd yn 1937 yn llwyfan ar gyfer y beirdd a'r llenorion a drafodir yn y bennod hon.

Mynegir profiad milwyr o'r rhyfel gan Alun Lewis (1915–44) yn Saesneg ac Alun Llywelyn-Williams (1913–88) yn Gymraeg, er nad yw'r label 'bardd rhyfel' yn ddisgrifiad digonol o'r naill na'r llall. Ymunodd Alun Lewis o Aberdâr â'r fyddin yn 1940, a bu'n rhaid i'w ddoniau fel bardd a storïwr aeddfedu'n sydyn dan bwysau rhyfel a'r boen o fod ar wahân i'w wraig Gweno. Mae'i straeon byrion yn cyfleu rhwystredigaethau bywyd y fyddin, gan ddefnyddio Cymru'n rhyw fath o faen-prawf emosiynol. Yn ei gasgliad cyntaf o gerddi, *Raiders' Dawn* (1942) mae cyswllt annifyr rhwng nwyd rhywiol a'r

Alun Llywelyn-Williams

O 'Ym Merlin – Awst 1945'

Llym ydyw'r awel; Heledd, na chryn, nac wyla;
hwde dy hyder, ynghudd ar wely cyfleus y rwbel,
yn rhodd am flasu'r sigaret, am sugno'r siocled,
cei estyn dy serch i'r concwerwr unig.
Difera'r nos ddidostur.
Pa bryd y daw, pryd, pryd, y swyddog glas,
a'i wisg drwsiadus, a'i ddidoledig chwaeth,
i ganu'i gorn ac ailgychwynnu'r rhawt?
Dinas rodresgar, fras, 'fu hon erioed
ac addas i'w hadfeilio;
a glywaist tithau, Heledd – na, Inge archolledig –
chwerthin croch yr eryr eiddig,
a welaist ti, yn ei olygon hanner cau,
ragosodedig ddelw'n holl ddinasoedd brau?

ymwybod â thrais ar ddyfod, ac fe ddaeth themâu mawr serch a marwolaeth yn fwyfwy blaenllaw yn ei waith ar ôl iddo gael ei ddanfon i'r India yn 1942. Yn y cerddi a luniodd yno, a gyhoeddwyd ar ôl ei farwolaeth mewn cyfrol â'r teitl eironig *Ha! Ha! Among the Trumpets* (1945), gwelir sicrwydd diwylliant y Gorllewin yn cael ei siglo wrth ymgyffwrdd â byd dieithr.

Mae barddoniaeth Alun Llywelyn-Williams yn sicrach yn ei hamgyffred â gwareiddiad Ewropeaidd, a thueddu i gadarnhau'r sicrwydd a wnaeth ei brofiad o ryfel ar gyfandir Ewrop. Fe'i magwyd yng Nghaerdydd, ac er bod ei gefndir yn ddwyieithog, ail iaith iddo oedd y Gymraeg. Mae'n enghraifft ddiddorol, felly, o awdur a allasai'n hawdd fod wedi defnyddio'r Saesneg, ond a ymroddodd i'r Gymraeg trwy weithred o ewyllys. Ond agwedd wrthrychol oedd ganddo tuag at y traddodiad llenyddol Cymraeg, a theimlai fod angen ei ehangu i gynnwys profiadau dinesig. Gyda'r amcan hwnnw mewn golwg y sefydlodd y cylchgrawn *Tir Newydd* yn 1935. Mae newydd-debau technolegol y bywyd modern yn flaenllaw iawn yn ei waith, pethau fel yr awyren a'r radio, ond serch hynny mae'n arddel cred ddyneiddiol yng ngrym iachaol celfyddyd. Wrth ddisgrifio adfeilion dinas Berlin, a welodd gyda'r fyddin ar ddiwedd y rhyfel, mae'n tynnu ar Ganu Heledd er mwyn dangos mai profiad dynol digyfnewid yn y bôn yw'r dioddefaint a achosir gan ryfel.

10 Llenyddiaeth ers y Rhyfel

Awduron Cymraeg newydd y 1950au

Er bod rhai nodweddion modernaidd wedi'u nodi eisoes yn llenyddiaeth hanner cyntaf y ganrif, yn y 1950au y blodeuodd moderniaeth yn y Gymraeg. Nid mater o ddynwared ffasiynau gwledydd eraill oedd hyn; bu i foderniaeth Gymraeg ei chymeriad a'i hegni arbennig ei hun oherwydd y cyswllt agos â chrefydd a chenedlaetholdeb. Gwaith sydd yn perthyn yn agosach i'r math o foderniaeth eironig a hunanfeirniadol a geir gan T. S. Eliot yw cerdd hir Kitchener Davies, *Sŵn y Gwynt sy'n Chwythu* (1952), a nodwyd yn y bennod flaenorol. Mae'r argraff o bersonoliaeth ddrylliedig yn y gerdd honno hefyd yn amlwg ym mhryddest T. Glynne Davies am ddiflaniad yr hen dyddynwyr, 'Adfeilion' (1951), sy'n cyfuno hiraeth â delweddaeth swrrealaidd. Daeth dirywiad y cymunedau gwledig yn amlwg iawn ar ôl y rhyfel, ac mae'n thema fawr yn y llenyddiaeth, er enghraifft yn nofelau W. Leslie Richards. Ond mae moderniaeth Gymraeg newydd y 1950au yn ymwneud yn ei hanfod ag adnewyddu, yn ysbrydol ac yn genedlaethol. Amlygiad cynnar o'r ysbryd newydd hwn oedd Cylch Cadwgan, grŵp o awduron a fu'n cwrdd yn ystod y rhyfel yng nghartref J. Gwyn Griffiths a'i wraig Kate Bosse-Griffiths yng Nghwm Rhondda, gan geisio cadw cyswllt â diwylliant cyfoes Ewrop. Dau aelod o'r cylch a wnaeth gyfraniad nodedig i lenyddiaeth Gymraeg oedd Rhydwen Williams a Pennar Davies. Yn Saesneg y dechreuodd Pennar Davies gyhoeddi dan y ffugenw Davies Aberpennar, ond yn ei ail iaith y dewisodd lunio ei waith aeddfed, yn ffuglen ac yn farddoniaeth, ac mae'n un o awduron crefyddol pwysicaf y cyfnod modern. Un arall a fu'n gysylltiedig â'r cylch yw'r bardd Gareth Alban Davies, a gyhoeddodd ei gerddi cynharaf yn y gyfrol *Cerddi Cadwgan* (1953).

Cyrhaeddodd y foderniaeth newydd benllanw gyda chyhoeddi cyfrolau cyntaf hynod iawn gan dri bardd, Waldo Williams, Euros Bowen a Bobi Jones. Cyfrol hirddisgwyliedig oedd *Dail Pren* Waldo Williams (1904–71) pan gyhoeddwyd hi yn 1956; cynhwysai gerddi'n dyddio'n ôl i'r 1930au, ond y cerddi a luniwyd ers y rhyfel yw'r rhai mwyaf arwyddocaol ynddi. Etifeddodd Waldo 'annibyniaeth barn' gref iawn trwy ei gefndir teuluol ymhlith Bedyddwyr sir Benfro. Roedd yn heddychwr cadarn, ac ymunodd â'r Crynwyr. Craidd ei waith yw'r cerddi a ysgrifennodd mewn ymateb i'r Ail Ryfel Byd a Rhyfel Korea yn y 1950au, pan garcharwyd ef am wrthod talu treth incwm.

Mae'i farddoniaeth yn arddel y delfryd Rhamantaidd o frawdgarwch byd-eang, wedi'i wreiddio yn ei brofiad o gymdeithas gydweithredol tyddynwyr y Preseli. Mawl i'r ffordd honno o fyw yw'r gerdd 'Preseli', wedi'i hysgogi gan gynlluniau'r Weinyddiaeth Amddiffyn i feddiannu'r tir. Ei gerdd fwyaf yw 'Mewn Dau Gae' (1956), sy'n seiliedig ar weledigaeth o frawdgarwch a gafodd tra'n gweithio ar fferm cymydog adeg y Rhyfel Byd Cyntaf. Ar un olwg gall ei ddaliadau cymdeithasol traddodiadol ymddangos yn anghyson â'i arddull fodernaidd, ond mewn gwirionedd nid mater o warchod y ffynnon yn unig yw ei genedlaetholdeb, eithr cred yng ngrym y dychymyg

Waldo Williams

'Preseli'

Mur fy mebyd, Foel Drigarn, Carn Gyfrwy, Tal Mynydd,
Wrth fy nghefn ym mhob annibyniaeth barn.
A'm llawr o'r Witwg i'r Wern ac i lawr i'r Efail
Lle tasgodd y gwreichion sydd yn hŷn na harn.

Ac ar glosydd, ar aelwydydd fy mhobl –
Hil y gwynt a'r glaw a'r niwl a'r gelaets a'r grug,
Yn ymgodymu â daear ac wybren ac yn cario
Ac yn estyn yr haul i'r plant, o'u plyg.

Cof ac arwydd, medel ar lethr eu cymydog.
Pedair gwanaf o'r ceirch yn cwympo i'w cais,
Ac un cwrs cyflym, ac wrth laesu eu cefnau
Chwarddiad cawraidd i'r cwmwl, un llef pedwar llais.

Fy Nghymru, a bro brawdoliaeth, fy nghri, fy nghrefydd,
Unig falm i fyd, ei chenhadaeth, ei her,
Perl yr anfeidrol awr yn wystl gan amser,
Gobaith yr yrfa faith ar y drofa fer.

Hon oedd fy ffenestr, y cynaeafu a'r cneifio.
Mi welais drefn yn fy mhalas draw.
Mae rhu, mae rhaib drwy'r fforest ddiffenestr.
Cadwn y mur rhag y bwystfil, cadwn y ffynnon rhag y baw.

creadigol i drechu amgylchiadau materol, cred a wireddir ar lefel arddull gan ei ddefnydd beiddgar o ddelweddaeth a symbolau.

Dechreuodd Euros Bowen (1904–88) farddoni yn weddol hwyr, er bod traddodiad cryf yn ei deulu (enillodd ei frawd Geraint Gadair yr Eisteddfod Genedlaethol yn 1946 ag awdl foliant grefftus i'r amaethwr). Ond ar ôl cyhoeddi'i gasgliad cyntaf, *Cerddi*, yn 1958, cynhyrchodd lif cyson o gyfrolau tan ei farwolaeth. Bu'n arbrofi'n barhaus â ffurfiau mydryddol, ac ef oedd y cyntaf i wneud defnydd helaeth o'r gynghanedd yn y wers rydd. Mae'i ddarluniau argraffiadol llachar o fyd natur yn adlewyrchu'i ddiddordeb yng nghelfyddyd arlunio, ond roedd y dehongliad sagrafennol yn gyson â'i alwedigaeth fel offeiriad. Yn wahanol i Waldo Williams a Bobi Jones, nid oedd ergyd wleidyddol agored i'w farddoniaeth, ond roedd ganddo'r un ffydd Gristnogol orfoleddus. Mae'r Atgyfodiad yn allweddol yng ngwaith y tri fel symbol o fuddugoliaeth y grym bywydol, ac fe'i cynrychiolir yn aml gan dymor y gwanwyn (gydag arwyddocâd amlwg ar gyfer y genedl Gymreig). Trawiadol iawn, ac nid damweiniol mae'n siŵr, yw'r cyferbyniad rhwng hyn a'r obsesiwn gyda marwolaeth a welir yng ngwaith awduron agnostig y genhedlaeth flaenorol fel R. Williams Parry.

Mae ysbryd cadarnhaol newydd y cyfnod wedi'r rhyfel ar ei gryfaf yng ngwaith Bobi Jones, ac ef yn anad neb sy'n cynrychioli adfywiad diweddar yr iaith Gymraeg. Fe'i ganed yng Nghaerdydd mewn teulu Saesneg ei iaith, ac ar ôl iddo ddysgu'r Gymraeg yn yr ysgol ac ennill gradd yn y pwnc ymroddodd yn llwyr i'r iaith, ac mae wedi bod yn un o brif ddefnyddwyr a hyrwyddwyr y Gymraeg ers yn agos i hanner canrif, fel beirniad ac ysgolhaig (dan yr enw R. M. Jones), ac yn enwedig fel awdur creadigol. Gellir hyd yn oed ystyried y ffaith fod y Gymraeg yn ail iaith iddo yn fantais yn ei ysgrifennu, oherwydd mae'n ei defnyddio gyda ffresni dilyffethair a'r ymroddiad sy'n deillio o dröedigaeth. Mae'r profiad o dröedigaeth yn ganolog i'w Galfiniaeth efengylaidd, cred sy'n rhoi ystyr a phwrpas i'w holl waith, ac sydd hefyd efallai'n cyfrif am ei egni rhyfeddol. Cyhoeddwyd ei gasgliad cyntaf o farddoniaeth, *Y Gân Gyntaf*, yn 1957, gan beri cryn gynnwrf oherwydd ei arddull feiddgar a byrlymus, ac mae wedi cynhyrchu barddoniaeth a ffuglen yn doreithiog oddi ar hynny. Ei waith mwyaf trawiadol, a brawychus hefyd i rai, yw'r gerdd epig yn dehongli hanes Cymru, *Hunllef Arthur* (1986). Mae Bobi Jones yn awdur digymrodedd sy'n estyn yr iaith i'r eithaf, ac ni fu'n awdur poblogaidd, nac yn chwennych poblogrwydd chwaith. Serch hynny, mae'n gawr o lenor sydd wedi dweud pethau pwysig, ac anghysurus yn aml, am gyflwr Cymru yn ail hanner yr ugeinfed ganrif. Disgybl i

Saunders Lewis yw Bobi Jones mewn sawl ffordd, ac mae ganddo'r un persbectif eang sy'n ei godi uwchlaw plwyfoldeb Prydeinig. Os mai cenedlaetholdeb Cristnogol yw sylfaen ideolegol ei waith, yr un mor bwysig fel craidd emosiynol iddo yw'r cariad rhyngddo a'i wraig.

Bobi Jones

'Rwyt ti f'anwylyd sanctaidd yn llawn o ryw'

'Rwyt ti f'anwylyd sanctaidd yn llawn o ryw
Fel tiwlip dwfn yn ffrwydro dan fom yr haul.
Mae'n gorwedd ynot fel gwaed. Mae'n hanfod gwir.
Mae'n cerdded dy derfynau ddydd a nos.
I mi wedi colli'r llanc lled atodiad oedd,
Cadwyn a dorraist, gwisg achlysurol, pryd;
Ond i ti mae'n rhan dragwyddol, porthiant, gwraidd.
Bod yn fam; yr ansawdd mam sy'n bod
Ar wahân i blant; y natur fam a lŷn
Mewn menyw, y cadw, gofal, perthyn
Tyner, disgwyl fel y ddaear, gwybod y pridd.
'Rwyt ti f'anwylyd sanctaidd yn llawn o ryw
Fel tiwlip braf ar fat pelydrau a'i geg
Yn canu grwndi bodlon. Yn llawn o ryw,
Mae'n treiddio trwot i'th ddyfnder. Mae'n dal
Athrylith a dawn dy galon. Ac wele, yn awr
'Rwyt wedi dy gyflawni fel cerdd yn gorffen
Profiad, fel rhyddid i wlad gaeth.
Ac nid oes gwyrth ar y ddaear nad yw wedi bod
Yma ynghlwm wrth dy ymgyrraedd cain.
Ti efallai oedd fy Nghymru, ei phwll, ei henglyn,
Ei buarth a'i chrefydd, undod ei heneidiau:
Ti oedd fy nghaethiwed a'm hystyr.
Ni allaf beidio ag addef i ni fod ers tro
Yn rhieni tragwyddoldeb, yn fam a thad y cread
Wrth etifeddu'r cyflawnder, y gorffen cudd,
Y gwrthdaro cyfan a ddyfeisiwyd gynt.
Ti oedd fy nghaethiwed a'm hystyr.
Canaf i ti ein llawenydd. I ti canaf ein bod . . .
Llawenydd oesol y tad a'r fam, lle y cripiodd
Clymwr pob gwead, a brigau'r oren yn Ei wallt
A phomgranadau dan Ei gesail yn siglo.

Bu'r 1950au yn gyfnod pwysig iawn yn hanes y ddrama Gymraeg, oherwydd yn ogystal â dramâu aeddfed Saunders Lewis a drafodwyd yn y bennod flaenorol, daeth dramodydd mawr arall i'r amlwg yn 1958 gyda chyhoeddi *Lle Mynno'r Gwynt* a *Gŵr Llonydd* gan John Gwilym Jones (1904–88). Mae gyrfa ysbeidiol John Gwilym Jones yn rhychwantu sawl cyfnod, ac roedd eisoes wedi gwneud cyfraniad nodedig i lenyddiaeth fodernaidd Gymraeg yn 1946 gyda'i gasgliad o straeon byrion, *Y Goeden Eirin*, lle defnyddir techneg llif yr ymwybod i ddatgelu'r gagendor rhwng ymddygiad cyhoeddus a bywyd mewnol ei gymeriadau. Archwilir tensiynau o fewn y teulu a'u dylanwad ar y bersonoliaeth yn ei weithiau mawr i gyd, megis y ddrama *Y Tad a'r Mab* (1963) a'i nofel ddiweddarach *Tri Diwrnod ac Angladd* (1979). Gweledigaeth y dyneiddiwr sgeptig sydd ganddo, yn bwrw amheuaeth ar bob dogma ac yn pwysleisio cyffredinolrwydd y teimladau sylfaenol a gwerth perthnasau dynol, fel y gwelir yn ei ddehongliad anuniongred o fywyd a gwaith Morgan Llwyd yn y ddrama *Hanes Rhyw Gymro* a gyhoeddwyd yn 1964. Fel dramodydd mae'r gymhariaeth â Saunders Lewis yn anochel, ac er bod gwaith Saunders yn rhagori o ran ehangder deallusol, John Gwilym Jones sydd wedi cyfleu meddylfryd y Cymry yn fwyaf argyhoeddiadol, gan ei fod yn adnabod ei bobl mewn modd na allai dieithryn fel Saunders. Mae'i gymeriadau'n addysgedig a huawdl, ac eto'n ansicr iawn, yn etifeddion Anghydffurfiaeth sydd wedi colli'i hystyr, gan eu gadael mewn argyfwng dirfodol. Ni lwyddodd yr un awdur Cymraeg i gyflwyno ing bywyd modern mor rymus â John Gwilym Jones, ac arwydd o'i lwyddiant yw'r ffaith bod dramâu mor hanfodol Gymraeg wedi cael derbyniad da mewn cyfieithiad yn Lloegr ac America.

Cymerodd y nofel Gymraeg gam mawr ymlaen yn y 1950au pan ddaeth Islwyn Ffowc Elis i'r amlwg. Golwg tuag yn ôl a gafwyd yn nofelau'r chwareli llechi yn y bôn, ac ni ddaethai nofelydd mawr i olynu Daniel Owen fel sylwebydd cymdeithasol cyfoes. Dangosodd Islwyn Ffowc Elis ei feistrolaeth ar grefft rhyddiaith pan gyhoeddodd gasgliad o ysgrifau cain, *Cyn Oeri'r Gwaed*, yn 1952, a gwnaeth enw mawr iddo'i hun gyda'i nofel hynod boblogaidd, *Cysgod y Cryman*, yn 1953. Roedd y nofel honno'n gyfoes iawn yn ei hymdriniaeth â newidiadau mewn cymuned wledig, ac eto darlunia gymeriadau mewn modd cwbl gonfensiynol, a thuedda i osgoi goblygiadau'r materion radicalaidd a godir (fel y gwelir o'i chymharu â nofel debyg gan Emyr Humphreys, *A Man's Estate*). Ceisiodd Islwyn Ffowc Elis fynd i'r afael â chymhlethdodau seicolegol yn ei nofel nesaf, *Ffenestri tua'r Gwyll* (1955), sy'n ddarlun dychanol o gylch o ddeallusion mewn tref debyg iawn i Aberystwyth, ond siomwyd ei ddarllenwyr, ac felly dychwelodd at y cefndir gwledig y flwyddyn ganlynol gyda'r dilyniant, *Yn ôl i Leifior*. Mae ei gydymdeimlad â chenedlaetholdeb yn ddigon clir yn y nofelau hyn, a daeth yn hollol agored yn ei stori wyddonias ysgytwol, *Wythnos yng Nghymru Fydd* (1957). Cynhyrchodd nifer o weithiau ysgafnach wedyn mewn ymgais i ehangu cynulleidfa'r nofel Gymraeg. Gellir gweld gyrfa lenyddol Islwyn Ffowc Elis fel enghraifft o addewid nas cyflawnwyd, wedi'i rheoli'n ormodol gan ddisgwyliadau'i ddarllenwyr, ond serch hynny rhaid cydnabod ei gyfraniad mawr yn gosod sylfeini'r nofel ddiweddar ac yn adfer safonau crefft rhyddiaith a esgeuluswyd gyhyd.

Cenhedlaeth newydd o awduron Eingl-Gymreig

Roedd y genhedlaeth o awduron Saesneg a gododd yng Nghymru ar ôl yr Ail Ryfel Byd yn wahanol iawn i Garadoc Evans a llenorion y 1930au. Cyfeirir at y genhedlaeth newydd hon fel y 'second flowering' weithiau. Mater o agwedd tuag at Gymru yw'r gwahaniaeth yn y bôn; dangosai'r awduron newydd lawer mwy o gydymdeimlad â chenedlaetholdeb a'r iaith Gymraeg, gan gymryd safbwynt cenedlaethol yn hytrach na rhanbarthol. Gwnaent lai o sioe o'u Cymreictod, ac fe ymddengys eu bod yn ysgrifennu ar gyfer eu pobl eu hunain ac nid ar gyfer y Saeson. Ymhlith y ffactorau a achosodd y newid rhaid ystyried dylanwad Saunders Lewis a'r don o genedlaetholdeb a ddilynodd helynt yr Ysgol Fomio, ond roedd effaith y rhyfel ar gefn gwlad hefyd yn cyfrannu at deimlad o argyfwng i Gymru. Cafwyd arweiniad gan ddau awdur mawr sydd wedi dominyddu llenyddiaeth Saesneg Cymru trwy gydol ail hanner yr ugeinfed ganrif, y bardd R. S. Thomas a'r nofelydd Emyr Humphreys, y ddau wedi dysgu Cymraeg yn oedolion. Adlewyrchir ysbryd y mudiad newydd gan y cylchgrawn *Dock Leaves* (*The Anglo-Welsh Review* yn ddiweddarach), a sefydlwyd yn 1949 dan olygyddiaeth y bardd Raymond Garlick er mwyn hyrwyddo cyswllt agosach rhwng awduron y ddwy iaith yng Nghymru.

Ganed R. S. Thomas yng Nghaerdydd yn 1913, yn fab i forwr, ac fe'i magwyd yng Nghaergybi. Cafodd ei ordeinio'n offeiriad, ac aeth ati o ddifrif i ddysgu Cymraeg pan symudodd i blwyf gwledig (ond Saesneg ei iaith) Manafon yn sir Drefaldwyn yn 1942. Er iddo feistroli'r iaith yn llwyr, a chyhoeddi cryn dipyn o ryddiaith Gymraeg, dim ond yn ei iaith gyntaf y gallai drin geiriau gyda'r cynildeb a'r dwyster sy'n nodweddu'i farddoniaeth. Symudodd i fro Gymraeg y gorllewin yn 1954, gan ymgartrefu yn y pen draw yn Aberdaron yn Llŷn. Cyhoeddwyd ei gasgliad cyntaf, *The Stones of the Field*, yn 1946, ac ers hynny mae wedi cynhyrchu dros ugain cyfrol o farddoniaeth. Prif bwnc ei waith cynnar yw ei ymateb i dyddynwyr Manafon (a gynrychiolir gan y cymeriad Iago Prytherch), sy'n gymysgedd o ffieidd-dra a siom na fu iddynt gyflawni'i ddisgwyliadau rhamantaidd,

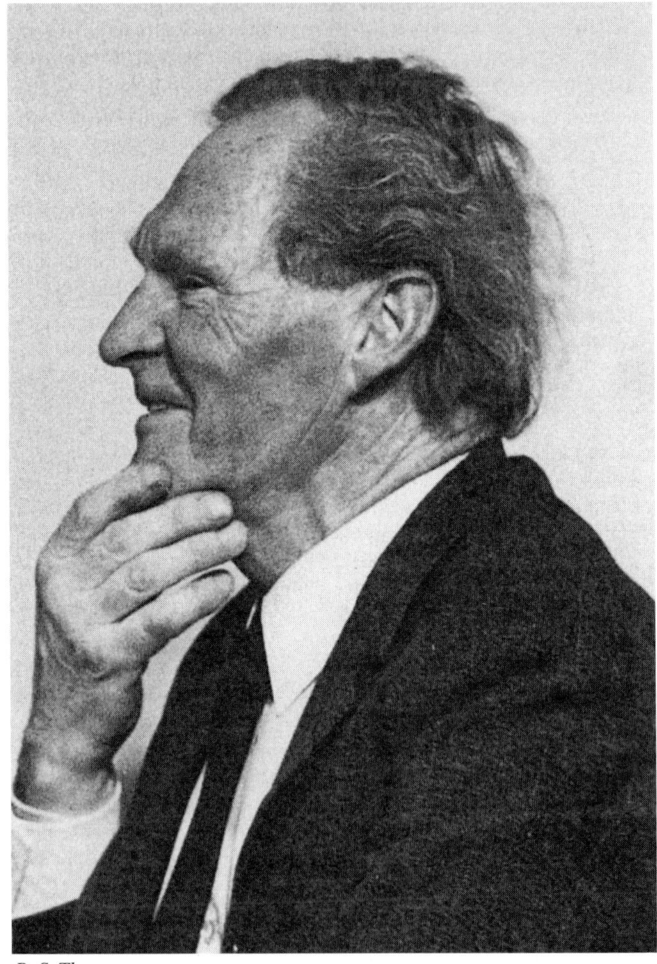

R. S. Thomas.

R. S. Thomas

'Reservoirs'

There are places in Wales I don't go:
Reservoirs that are the subconscious
Of a people, troubled far down
With gravestones, chapels, villages even;
The serenity of their expression
Revolts me, it is a pose
For strangers, a watercolour's appeal
To the mass, instead of the poem's
Harsher conditions. There are the hills,
Too; gardens gone under the scum
Of the forests; and the smashed faces
Of the farms with the stone trickle
Of their tears down the hills' side.

Where can I go, then, from the smell
Of decay, from the putrefying of a dead
Nation? I have walked the shore
For an hour and seen the English
Scavenging among the remains
Of our culture, covering the sand
Like the tide and, with the roughness
Of the tide, elbowing our language
Into the grave that we have dug for it.

beirniadaeth ar ei fursendod ei hun, ac yn y diwedd edmygedd at eu cadernid ystyfnig. Mae'r un ddeuoliaeth i'w gweld yn ei agwedd at Gymru gyfan, yn wrthrychol ac yn ffyrnig o bleidiol am yn ail. Fe ymddengys fod y Gymru Gymraeg yn cynrychioli rhyw fath o wrthglawdd iddo rhag y byd technolegol modern, ac fe all fod yn llym iawn ei feirniadaeth ar y Cymry eu hunain am fethu â gwireddu'r delfryd hwnnw.

Bu'r casgliad o gerddi crefyddol, *H'm* (1972) yn arwydd o newid cyfeiriad yng ngwaith R. S. Thomas (er bod gwedd ddiwinyddol i'w ymdriniaeth â natur yn ei gerddi cynharach), a dim ond yn ddiweddar y mae wedi dod yn ôl at bwnc y genedl yn ei farddoniaeth, yn cydfynd â datganiadau eithafol yn erbyn y mewnlifiad Seisnig sydd wedi'i wneud yn ffigwr dadleuol iawn. Prif thema ei waith diweddar yw diffygion golwg ysbrydol y ddynoliaeth, yr ymchwil ingol am Dduw absennol. Ond camgymeriad fyddai labelu R. S. Thomas naill ai fel cenedlaetholwr neu fel bardd crefyddol. Fel y dengys ei *Collected Poems* a gyhoeddwyd yn 1993 (er nad yw'n gwbl gynhwysfawr o bell ffordd), mae rhychwant ei waith yn ehangach o lawer, gan gynnwys cerddi awgrymog yn seiliedig ar ddarluniau a grŵp pwysig o gerddi personol am ei deulu. Tra'n arddel ei Gymreictod yn herfeiddiol mae R. S. Thomas yn archwilio argyfwng ysbrydol ein hoes yn gyffredinol. Gydag arddull gynnil a delweddaeth bwerus, mae'i lais barddol yn gwbl unigryw, ac mae'n un o feirdd mwyaf yr iaith Saesneg heddiw.

Magwyd Emyr Humphreys mewn ardal Saesneg yn sir y Fflint, ond dysgodd Gymraeg ar ddiwedd y 1930au pan oedd yn y brifysgol yn Aberystwyth, lle y daeth yn genedlaetholwr. Yn wahanol i R. S. Thomas, mae wedi defnyddio'i ail iaith ar gyfer ei waith creadigol, a chyhoeddodd un o'i nofelau cynnar mewn fersiynau Cymraeg a Saesneg yn 1958, *Y Tri Llais* ac *A Toy Epic*. Mae wedi llunio sgriptiau ffilm a pheth barddoniaeth yn Gymraeg hefyd, ond roedd hyder a chywreinrwydd ei ryddiaith Saesneg yn allweddol wrth ddewis y cyfrwng ar gyfer crynswth ei waith fel nofelydd. Serch hynny, Cymraeg yw'r iaith a siaredir gan lawer o gymeriadau ei ffuglen mewn gwirionedd, ac mae Emyr Humphreys wedi dehongli'r Gymru Gymraeg i'w phobl ei hun ac i'r byd Saesneg â chydymdeimlad ond yn ddisentiment. Mae ei weithgarwch llenyddol yn cwmpasu barddoniaeth, dramâu, a straeon byrion, ond canolbwyntiodd ei ynni creadigol ym maes y nofel. Gan gychwyn yn 1946 â *The Little Kingdom*, a seiliwyd ar helynt yr Ysgol Fomio ddeng mlynedd yn gynharach, mae wedi cyhoeddi nofelau'n gyson dros gyfnod o hanner canrif. Uchafbwynt ei waith yw'r gyfres uchelgeisiol o saith nofel dan y teitl cyffredinol 'Bonds of Attachment', a gwblhawyd yn 1991.

Un o gryfderau mawr nofelau Emyr Humphreys yw ei ddefnydd dyfeisgar o wahanol ddulliau naratif er mwyn cyfleu gwead cymhleth y gymdeithas. Adroddir *Y Tri Llais* gan dri bachgen ysgol, a datgelir y modd y mae eu bywydau wedi'u llunio gan eu cefndiroedd. Mae *A Man's Estate* (1955) yn darlunio'r tyndra sy'n ysgogi newid mewn cymuned wledig trwy symud rhwng safbwyntiau pedwar cymeriad cyferbyniol. Ei nofel unigol orau yw *Outside the House of Baal* (1965), sy'n adrodd hanes bywyd gweinidog Methodist trwy symud yn ôl ac ymlaen rhwng y gorffennol a'r presennol, gan ddangos methiant ei genedlaetholdeb Cristnogol a rhoi golwg ar ddatblygiad Cymru fodern. Gellir gweld y nofel honno fel eginyn cynllun mwy uchelgeisiol y gyfres 'Bonds of Attachment', sydd â rhychwant

Emyr Humphreys.

helaethach yn cwmpasu llawer o'r amrywiaeth a'r tyndra o fewn y gymdeithas. Craidd y naratif yw bywyd Amy Parry, y gellir ei weld yn daith sy'n cynrychioli profiad cyffredin pobl Cymru, o'r radicaliaeth a ddeilliodd o dlodi, trwy wladgarwch a sosialaeth, gan orffen mewn hawddfyd cydymffurfiol.

Mae ffuglen Raymond Williams (1921–88) yn debyg i eiddo Emyr Humphreys yn yr ystyr bod y ddau awdur yn ceisio archwilio'r grymoedd cymdeithasol-wleidyddol sydd ar waith yn y profiad o fywyd mewn man arbennig. Mae Raymond Williams yn fwyaf adnabyddus fel hanesydd diwylliannol dylanwadol dros ben a gwrw y Chwith Newydd, ond fe wnaeth gyfraniad pwysig i lenyddiaeth y ffin gyda'i drioleg *Border Country* (1960), *Second Generation* (1964), a *The Fight for Manod* (1979), nofelau sy'n tynnu ar ei fagwraeth ei hun ym mhentref Pandy yn sir Fynwy a'i brofiad o ffiniau cenedl a dosbarth yn ei yrfa academaidd yng Nghaergrawnt. Roedd ei sosialaeth o fath llai materol na'r un a wrthwynebodd genedlaetholdeb rhwng y rhyfeloedd, ac yn ddigon ystwyth i ymateb yn gadarnhaol i'r ymwybyddiaeth Gymreig newydd. Cyn iddo farw bu'n gweithio ar gynllun mawr i adrodd hanes dychmygus ei ardal ei hun ers y trigolion cynharaf, a gyhoeddwyd ar ôl ei farwolaeth mewn dwy gyfrol dan y teitl *The People of the Black Mountains* (1989, 1990). Yn wahanol iawn i nofel Bruce Chatwin, *On the Black Hill* (1982), sy'n darlunio gororau sir Faesyfed fel byd dieithr ar wahân i brif ffrwd hanes, mae'r ffin yng ngwaith Raymond Williams yng nghanol digwyddiadau hanes ac mae iddi arwyddocâd trosiadol sy'n berthnasol i'r byd modern i gyd.

Cyrhaeddodd ail don llenyddiaeth Eingl-Gymreig ei hanterth yn y 1960au, gyda chenhedlaeth newydd o feirdd yn dod i'r amlwg ar yr un pryd ag yr oedd Emyr Humphreys ac R. S. Thomas yn cynhyrchu'u gwaith aeddfed. Cafwyd ffocws i'r beirdd newydd yn y cylchgrawn *Poetry Wales*, a sefydlwyd gan Meic Stephens yn 1965. Y tanbeitiaf a'r ffraethaf o'r beirdd hyn oedd Harri Webb (1920–94) o Abertawe. Hanes a chyflwr Cymru oedd pwnc y rhan fwyaf o gerddi ei gyfrol gyntaf, *The Green Desert*, a gyhoeddwyd yng nghanol cythrwfl yr Arwisgo yn 1969. Agwedd ddeublyg tuag at wleidyddiaeth genedlaethol oedd gan y bardd John Tripp (1927–86), yn gefnogol i ddelfryd o arwahanrwydd ac eto'n ymwybodol o'i statws amwys fel Cymro di-Gymraeg o Gaerdydd. Bardd sydd wedi gwneud llawer iawn i bontio'r gagendor rhwng dwy lenyddiaeth Cymru fel beirniad, fel bardd, ac yn enwedig fel cyfieithydd o fri yw Anthony Conran (g. 1931). Cafodd ei *Penguin Book of Welsh Verse* (1967) ddylanwad mawr ar feirdd Saesneg Cymru, ac mae'n tynnu'n helaeth ar y traddodiad Cymraeg yn ei waith ei hun, er enghraifft wrth ddefnyddio'r *Gododdin* yn sail i'w farwnad i'r milwyr o Gymru a laddwyd yn Rhyfel y Falklands. Wrth gwrs, nid oedd pob bardd yn y cyfnod hwn yn canu ar themâu cenedlaethol. Roedd John Ormond (1923–90), er enghraifft, yn llais cwbl unigryw, ac eto'n dal i fod yn neilltuol Eingl-Gymreig yn ei bwyslais ar ei gefndir teuluol yn ardal Abertawe. Mae cerddi a straeon byrion telynegol Leslie Norris yn nodweddiadol o lawer o lenyddiaeth Saesneg Cymru yn y modd y maent yn lleoli Cymreictod mewn profiadau plentyndod. Mae byd yr oedolyn yng ngwaith Norris yn llawer mwy cosmopolitaidd, fel byd Raymond Garlick (*A Sense of Europe*, 1968), Roland Mathias, Gwyn Williams (un arall sydd wedi cyfieithu barddoniaeth Gymraeg yn gampus), a Dannie Abse, nofelydd, dramodydd a bardd sy'n cyfranogi o ddau ddiwylliant lleiafrifol yn rhinwedd ei gefndir teuluol Iddewig yng Nghaerdydd.

Harri Webb

'Israel'

Listen, Wales. Here was a people
Whom even you could afford to despise,
Growing nothing, making nothing,
Belonging nowhere, a people
Whose sweat-glands had atrophied,
Who lived by their wits,
Who lived by playing the violin
(A lot better, incidentally
Than you ever played the harp).
And because they were such a people
They went like lambs to the slaughter.

But some survived (yes, listen closer now)
And these are a different people,
They have switched off Mendelssohn
And tuned in to Maccabeus.
The mountains are red with their blood,
The deserts are green with their seed.
Listen, Wales.

Llenyddiaeth Gymraeg ddiweddar

Y wedd fwyaf trawiadol ar farddoniaeth Gymraeg yn negawdau olaf yr ugeinfed ganrif yw'r adfywiad yn nhraddodiad y canu caeth tua diwedd y 1960au. Er na fu iddynt ddiflannu'n llwyr, roedd y gynghanedd a'r mesurau caeth wedi mynd allan o ffasiwn tua chanol y ganrif, a bu rhai beirniaid yn darogan, ac yn wir yn croesawu eu tranc. Y beirdd gwlad yn anad neb a gynhaliodd draddodiad y canu caeth yn y cyfnod hwnnw, a'u gwaith hwy oedd sylfaen yr adfywiad. Mae'n debyg bod hyn yn rhan o'r adwaith rhyngwladol yn erbyn y byd modern synthetig mewn sawl maes, ond roedd arwyddocâd arbennig iddo yng Nghymru yng nghyd-destun y mudiadau protest dros yr iaith. Credid, yn gam neu'n gymwys, fod y gynghanedd yn gynhenid i'r iaith Gymraeg, ac roedd ei rhythmau cadarn yn ffordd effeithiol iawn o bwysleisio neges wleidyddol. Roedd traddodiad y beirdd gwlad yn gryf mewn sawl ardal, ond fe'i cynrychiolir ar ei orau gan 'Fois y Cilie' o Geredigion, plant ac wyrion Jeremiah Jones (1855–1902). Bu cylch y Cilie yn feithrinfa farddol i Dic Jones (g. 1934), un o gynganeddwyr gorau'r cyfnod diweddar ac un sy'n dal i gynnal y delfryd o'r bardd fel crefftwr yn diddanu ac yn mawrygu'i gymuned leol. Ond ni allai traddodiadaeth o'r fath ymestyn yn hawdd i gynnwys radicaliaeth wleidyddol newydd yr oes. Mynegwyd honno'n rymus iawn gan Gerallt Lloyd Owen yn ei gasgliad *Cerddi'r Cywilydd* (1972), sy'n ymateb deifiol i gywilydd cenedlaethol Arwisgo Tywysog Cymru yng Nghaernarfon yn 1969. Mae Llywelyn ap Gruffudd, tywysog annibynnol diwethaf Cymru, yn ffigwr pwysig yn y casgliad hwnnw, ac ar achlysur saith canmlwyddiant ei farwolaeth yn 1982 enillodd Gerallt Gadair yr Eisteddfod Genedlaethol ag awdl ysbrydoledig yn cysylltu'r digwyddiad allweddol hwnnw yn hanes Cymru â chyflwr cyfoes y genedl.

Carreg filltir bwysig yn adfywiad y canu caeth oedd Eisteddfod Genedlaethol Aberteifi yn 1976. Yno y sefydlwyd y Gymdeithas Gerdd Dafod a'i chylchgrawn misol, *Barddas*. Yno hefyd y cyflawnodd Alan Llwyd y gamp o ennill y Gadair a'r Goron am yr eilwaith (camp a efelychwyd wedyn gan Donald Evans yn 1977 a 1980). Mae Alan Llwyd wedi bod yn flaenllaw iawn ers dros ugain mlynedd fel bardd ac fel beirniad a hyrwyddwr barddoniaeth Gymraeg. Bu'n olygydd *Barddas* ers ei sefydlu (ar y cyd â Gerallt Lloyd Owen tan 1983), ac mae'i ymroddiad proffesiynol i grefft barddoniaeth wedi bod yn esiampl i lawer. Er 1971 mae wedi cyhoeddi deuddeg casgliad o'i farddoniaeth ei hun, gan gynnwys *Y Casgliad Cyflawn Cyntaf* yn 1990. Dengys feistrolaeth lwyr dros ddulliau'r canu caeth, ac mae hefyd wedi estyn y defnydd o'r gynghanedd yn y wers rydd. Mae'i

Alan Llwyd.

waith yn cwmpasu delfrydau a realiti'r Gymru fodern rhwng dau begwn ei fagwraeth uniaith yn Llŷn a'i brofiad o fywyd dinesig yn ardal Abertawe. Gweledigaeth Gristnogol geidwadol sydd ganddo, a gwêl gyflwr Cymru yng nghyd-destun argyfwng gwareiddiad yr ugeinfed ganrif.

Nid oes arwydd bod nerth yr adfywiad yn pallu o gwbl, ac mae'r talyrnau barddol wedi bod yn hynod lwyddiannus fel cyfrwng i boblogeiddio'r canu caeth. Erbyn hyn mae cenhedlaeth arall o gynganeddwyr wedi dod i ddilyn y rhai a ddaeth i'r amlwg yn y 1970au. Gwelir naws wahanol yn y canu newydd, sy'n llai amddiffynnol a mwy chwareus, a thipyn ehangach ei orwelion. Mae'r englyn yn dal i fod mor boblogaidd ag erioed, ac mae T. Arfon Williams wedi gweddnewid y mesur gyda'i englynion delweddol celfydd. Ar y llaw arall, cafwyd mwy o ganu ar fesur y cywydd yn ddiweddar, fel y gwelir yn y ddau gasgliad dan y teitl *Cywyddau Cyhoeddus* (1994 a 1996), sy'n arddangos doniau amrywiol y cynganeddwyr ifainc. Dau fardd newydd sydd wedi estyn ffiniau'r canu caeth o ran meysydd ac arddull yw Emyr Lewis a Twm Morys, ac mae'u gwaith yn cyfuno'r traddodiadol a'r cyfoes yn gyffrous iawn.

Yn wahanol i feirdd y canu caeth, nid yw beirdd y canu rhydd wedi ffurfio mudiad clòs erioed, ac mae'u gwaith yn llawer mwy amrywiol. Un sydd wedi bod yn flaenllaw ac yn boblogaidd iawn ers y 1960au yw Gwyn Thomas, ysgolhaig a beirniad sy'n Athro'r

Emyr Lewis

'Taliesin'

yn gudyll ifanc uwch Argoed Llwyfain
profais ddyfodol y byd,
hogiau'n marw drwy drais a damwain
llygaid dall a gwefusau mud,
ffroenais eu braw ar yr awel filain,
tafodais eu gwaed ar y gwynt o'r dwyrain
a gwelais drwy'r oesoedd lawer celain,
brodyr a brodyr ynghyd.

yn eryr oriog uwch caeau Fflandrys
cofiais y cyfan i gyd,
cofiais drannoeth y lladdfa farus,
gwledda brain ar gelanedd mud,
arwyr toredig yn hercian yn ofnus
a'r baw yn ceulo'n eu clwyfau heintus,
clywais weddïau mamau petrus,
a hedd yn amdói y byd.

yn bengwin styfnig ger Porthladd Stanley
eisteddais drwy'r brwydro i gyd,
llanciau ifanc lleng Galtieri
yn disgwyl diwedd eu byd;
a dyma fy hanes eto eleni
yn gwylio'r byddinoedd ar diroedd Saudi,
yn ddodo drewllyd o flaen y teli
yn heddwch fy nghartref clyd.

Gymraeg ym Mhrifysgol Cymru Bangor. Yn ei waith academaidd mae Gwyn Thomas wedi gwneud llawer i agor y traddodiad llenyddol Cymraeg i'r darllenydd cyffredin, a gellir gweld amcan cyffelyb yn ei farddoniaeth, sy'n ymdrin â'r byd cyfoes mewn arddull uniongyrchol a sgyrsiol yn aml. Fel y gwelir wrth deitlau ei ddau gasgliad cyntaf, *Chwerwder yn y Ffynhonnau* (1962) ac *Y Weledigaeth Haearn* (1965), roedd ei farddoniaeth gynnar yn ymateb i'r grymoedd difaol mewn byd technolegol amhersonol. Cafwyd gwrthbwynt i'r weledigaeth lom honno yn nes ymlaen yn ei gerddi hoffus am blant, ac mae'i waith aeddfed yn cynnig golwg gytbwys ar fywyd sy'n nodedig am ei dynoliaeth gynnes tra'n ymwybodol iawn o ochr dywyll y natur ddynol.

Mae nifer o feirdd benywaidd wedi dod i'r amlwg dros yr ugain mlynedd diwethaf. Cyn hynny bu'r traddodiad barddol yn sefydliad gwrywaidd iawn a dueddai i gau merched allan, yn enwedig o'r canu caeth, ac o ganlyniad mae merched wedi bod yn amlycach ym maes ffuglen tan yn ddiweddar. Ond chwalwyd ffiniau o'r fath gan y mudiad ffeministaidd, ac mae barddoniaeth Gymraeg wedi'i chyfoethogi gan leisiau newydd, yn enwedig Nesta Wyn Jones, Einir Jones a Menna Elfyn. Mae cerddi Menna Elfyn yn cyflwyno safbwyntiau heriol ar nifer o achosion radicalaidd trwy gyfrwng delweddau trawiadol. Hi yw'r gyntaf i gyhoeddi ei gwaith mewn cyfrolau dwyieithog, sef *Eucalyptus* (1995), sy'n cynnwys detholiad o'i gwaith, a'r gyfrol newydd â'r teitl dwyieithog, *Cell Angel* (1997). Ymgais i gyrraedd cynulleidfa ehangach yw dwyieithrwydd Menna Elfyn. Mae Gwyneth Lewis wedi mynd gam ymhellach trwy farddoni yn Gymraeg a Saesneg, gan drin y ddwy iaith gyda'r un dychymyg cyffrous. Enillodd ei chyfrol Saesneg *Parables and Faxes* (1995) gryn glod gan feirniaid yng Nghymru a Lloegr, a chyhoeddwyd ei hail gasgliad Cymraeg, *Cyfrif Un ac Un yn Dri*, yn 1996.

Carfan arall sydd wedi herio'r sefydliad yw'r 'Beirdd Answyddogol' y cyhoeddwyd eu gwaith gan y Lolfa mewn cyfres o gyfrolau er 1976. Mae ansawdd y cerddi'n anghyson, ac at ei gilydd rhoddir llawer llai o sylw i grefft na chan feirdd Barddas, ond mae'r gyfres

'Dal Clêr' ar daith Mai–Mehefin 1993. Cyril Jones, Ifor ap Glyn, Elinor Reynolds, Menna Elfyn – Tafarn y Cŵps, Aberystwyth.

fywiog hon wedi gwneud cyfraniad llesol, ac mae'n cyd-fynd â phwyslais iach ar berfformio o flaen cynulleidfa, gwedd hynafol ar farddoniaeth Gymraeg a gollwyd i ryw raddau yn y cyfnod modern. Trefnwyd nifer o deithiau yn y blynyddoedd diwethaf sydd wedi mynd â barddoniaeth at y bobl mewn tafarndai a chlybiau nos. Bardd pwysig a ddechreuodd ei yrfa gyda chyfres y Lolfa yw Iwan Llwyd. Mae'i gasgliad 'Gwreichion' a enillodd Goron yr Eisteddfod Genedlaethol yn 1990 yn cyflwyno alegori llawn arwyddocâd am gyflwr Cymru yn y degawd yn dilyn methiant y Refferendwm yn 1979.

Camarweiniol fyddai darlunio barddoniaeth Gymraeg ddiweddar trwy begynu rhwng y traddodiadol a'r radicalaidd, er bod hwnnw'n dyndra gwirioneddol yn y gymdeithas. Mae digon o feirdd sy'n cyfuno rhinweddau'r naill duedd a'r llall, heb fod yn perthyn i'r un garfan yn neilltuol. Mae Bryan Martin Davies yn esiampl dda o fardd sydd wedi arbrofi'n helaeth â rhythmau'r wers rydd tra'n mawrygu'r hen ddiwylliant. Yn enedigol o Frynaman ond yn byw ers blynyddoedd ger Wrecsam, dengys ei waith bwysigrwydd lle a chymuned yn llenyddiaeth Gymraeg yr ugeinfed ganrif, gyda'r cyferbyniad rhwng pentref Cymraeg clòs ei fagwraeth a'r ardal drefol Seisnigedig ger y ffin. Nid yw ymlyniad wrth werthoedd y gorffennol yn golygu cau llygaid i realiti'r Gymru sydd ohoni.

Mae diffyg traddodiad pendant wedi bod yn wendid ac yn gryfder i'r nofel Gymraeg yn y blynyddoedd diwethaf. Ni fu gan nofelwyr y canllawiau ffurfiol na'r statws cymdeithasol sydd gan feirdd Cymraeg, ond ar y llaw arall fe fu'r rhyddid ganddynt i ddatblygu dulliau newydd a heriol. Mae *genre* cysurus y nofel hanesyddol gonfensiynol wedi parhau'n boblogaidd, wrth gwrs, ac fe welir rhinweddau stori dda wedi'i hadrodd yn grefftus yn nofelau cyfoes Alun Jones ac Eigra Lewis Roberts, awdures sydd wedi dilyn camre Kate Roberts. Aeth Jane Edwards ymhellach wrth archwilio rhwystredigaethau bywyd bras y dosbarth canol. Ond y datblygiad pwysicaf yw'r nofelau hynny sy'n cwestiynu rhagdybiaethau ac yn tanseilio disgwyliadau eu darllenwyr.

Y cyntaf i fynd i'r afael yn agored â phwnc gwaharddedig rhyw oedd John Rowlands mewn nofelau megis yr enwog *Ienctid yw 'Mhechod* (1965), ac mae'i anogaeth ef fel beirniad academaidd wedi bod yn werthfawr iawn i genhedlaeth newydd o nofelwyr. Efallai mai'r mwyaf ymroddedig o'r genhedlaeth honno yw Aled Islwyn. Mae'i nofel *Sarah Arall* (1980) yn trafod cyflwr anorecsia a'r problemau rhywiol sy'n gysylltiedig ag ef mewn rhyddiaith farddonol awgrymog iawn, ac mae hefyd wedi ymdrin â gwrywgydiaeth yn gydymdeimladol ond yn gignoeth. Manon Rhys yn anad neb sydd wedi lleisio rhywioldeb a rhwystredigaethau merched, yn gyntaf mewn cyfrol o straeon byrion, *Cwtsho* (1988), ac yna mewn nofel gymhleth ei gwead, *Cysgodion* (1993), sy'n seiliedig ar y berthynas rhwng yr arlunydd Gwen John a'r cerflunydd Rodin.

Pwnc arall y mae'r nofel Gymraeg wedi bod yn araf iawn yn mynd i'r afael ag ef yw'r bywyd dinesig. Torrwyd tir newydd gan Siôn Eirian yn 1979 gyda *Bob yn y Ddinas*, lle gwelir awydd amlwg i siocio trwy fanylion aflan. Lleoliad realistaidd yng Nghaerdydd sydd i'r nofel honno, ond cefndir dinesig mwy amhersonol a bygythiol *à la* Kafka a geir yn *Bingo!* (1984) Wiliam Roberts a *Dirgel Ddyn* (1993) Mihangel Morgan, dwy nofel ymwybodol ôl-fodernaidd.

Mae nofelwyr diweddar wedi defnyddio dulliau ôl-fodernaidd yn helaeth iawn, ond gydag amcanion tra gwahanol. Amcan gwleidyddol sydd gan Wiliam Roberts wrth ddefnyddio technegau dieithrio yn ei nofel hanesyddol *Y Pla* (1987) er mwyn chwalu'r darlun cysurus arferol o gymdeithas gytûn yr Oesoedd Canol a hyrwyddo dealltwriaeth Farcsaidd o hanes. Mae Angharad Tomos, ar y llaw arall, wedi cadw pellter rhwng ei gwaith llenyddol a'i hymgyrchu gwleidyddol dros Gymdeithas yr Iaith. Tynnodd ar ei phrofiad o garchar dros yr iaith i archwilio cymhellion yr ymgyrchydd yn ddidrugaredd yn *Yma o Hyd* (1985), gyda chyfeiriad coeglyd at gân enwog Dafydd Iwan, ac ers hynny mae wedi ysgrifennu nofelau sensitif ac amlhaenog sy'n ymdrin â phynciau tabŵ megis henaint, trais a marwolaeth. Mae ôl-foderniaeth ffuglen Mihangel Morgan yn mynd ymhellach wrth danseilio'r syniad o realiti gwrthrychol a chwarae â disgwyliadau'r darllenydd, gan ddryllio ambell ddelw yn y broses. Y mwyaf cadarnhaol o'r ôl-fodernwyr Cymraeg yw Robin Llywelyn, awdur sydd wedi creu cryn gynnwrf gyda'i ddwy nofel, *Seren Wen ar Gefndir Gwyn* (1992), ac *O'r Harbwr Gwag i'r Cefnfor Gwyn* (1994), yn ogystal â chasgliad o straeon byrion. Realaeth hudol yw ei ddull sylfaenol, gan dynnu ar lawer o chwedloniaeth Geltaidd tra'n lled-awgrymu cefndir Ewropeaidd cyfoes. Mae'n awdur sydd wrth ei fodd yn chwarae ag iaith, ac fel Wiliam Roberts mae'n ymhyfrydu yn iaith lafar gyfoethog Eifionydd. Nid hawdd yw dehongli arwyddocâd ei straeon, a dyna ran o'u hapêl efallai, ond yn sicr mae gwarchod purdeb bro a hen ddiwylliant yn bwysig iawn ynddynt.

Cyfoeswr iau â John Gwilym Jones a wnaeth gyfraniad yr un mor bwysig i'r ddrama Gymraeg yn y 1960au a'r 1970au oedd Gwenlyn Parry (1932–91). Ymwrthododd â drama naturiolaidd Saunders Lewis, a gwelir dylanwad y mudiad abswrdaidd ar ei waith, yn enwedig yn *Saer Doliau* (1966), alegori enigmatig am ffydd grefyddol dyn. Yn ei waith diweddarach, er enghraifft *Y Ffin* (1973)

Robin Llywelyn

Mae gin i go bod y siwrna'n ôl i Tir Bach wedi bod yr un mor hir, oer a diflas â phob siwrna arall ond sgin i fawr mwy o go na hynna o achos bod Tincar Saffrwm wedi sglaffio pecyn ynni fy nheithlyfr trydan a finna wedyn yn methu sgwennu fy nodiadau fatha byddai'n arfar gneud. Mae'r holl daith wedi mynd yn gowdal o drafferthion digyswllt yn fy mhen.

Ta waeth, cyrraedd Tir Bach naethon ni o'r diwadd mae'n rhaid a dyna i chdi groeso gawson ni wedyn. Fflagiau gwynion Tir Bach allan hyd y strydoedd a'r bobol ar bennau'r tai'n gweiddi ac yn chwifio breichiau o ffenestri'r llofftydd ac yn lluchio papur sidan bob lliw lawr am ein pennau ni ac Adar y Fflamau'n lluchio'u cylchau uwchben ac yn sgrechian fel adar o'u coeau arnon ni a phibgyrn y seindorf yn mewian a'r drymiau'n bowndian a'r haul yn taro nes oedd fy mhen i'n troi fel pen Wil Chwil fora Sul.

Wrth gwrs roedd Pererin Byd wrth ei fodd 'toedd. Meddwl na ar ei gyfar o oedd y dathlu i fod oedd o mi wranta a fynta'n wên o glust i glust yn codi llaw ar y bobol ac yn siglo fyny lawr am ben Tincar Saffrwm iddo fo gael gweld dros bennau'r bobol i gyfri faint oedd wedi troi allan ac yn dwrdio am fod neb wedi traffarth taenu dail palmwydd o flaen ei ful o. A Tincar Saffrwm oddi tano fo ag un llaw wedi dŵad yn rhydd o'r clymau gynno fo a fynta'n chwifio'i ddwrn ac yn diawlio ac yn damio ac yn gweiddi rhyw lol botas ac yn trio codi'i ben i boeri ar neb fydda'n dŵad yn rhy agos.

(O'r nofel *Seren Wen ar Gefndir Gwyn*)

ac *Y Tŵr* (1978), mae sefyllfaoedd dramatig yn magu arwyddocâd symbolaidd mawr. Fel rhai o ddramodwyr Saesneg Cymru megis Ewart Alexander, ysgrifennodd Gwenlyn Parry gryn dipyn ar gyfer y teledu, a threuliodd lawer o'i egni ar ddeunydd poblogaidd fel yr opera sebon *Pobol y Cwm*. Mae'r un peth yn wir am y genhedlaeth o ddramodwyr iau a ddaeth i'r amlwg ers sefydlu S4C yn 1982, ond teg yw dweud hefyd fod y sianel Gymraeg wedi'i gwneud yn bosibl am y tro cyntaf ers yr Oesoedd Canol i awdur Cymraeg ennill ei fywoliaeth trwy ysgrifennu. Mae rhai fel Gareth Miles, Wiliam Roberts a Siôn Eirian wedi llwyddo i gyfuno sgriptio ar gyfer teledu â gwaith llenyddol mwy arhosol. Ond ar yr un pryd, mae'r theatr wedi ymbellhau rywfaint oddi wrth lenyddiaeth fel y cyfryw, a cheir rhai o'r cynyrchiadau mwyaf cyffrous gan gwmnïau fel *Brith Gof* a *Moving Being* sy'n cyfuno geiriau â cherddoriaeth a dawns.

Llenyddiaeth Saesneg ddiweddar

Yn wyneb yr amrywiaeth mawr yn ysgrifennu Saesneg Cymru ers y 1970au, gall y term ymbarél 'Eingl-Gymreig' ymddangos braidd yn annigonol. Tra byddai'r ail genhedlaeth o awduron Saesneg yn ymwrthod â'r term am ei fod yn awgrymu bod eu Cymreictod wedi'i lastwreiddio, mae nifer o awduron diweddar yn amharod i dderbyn cyfyngu ar berthnasedd eu gwaith gan derm sy'n ei osod mewn cyd-destun cenedlaethol penodol. Wrth gwrs, mae digon sy'n dal i weld y Gymru Gymraeg yn ysbrydoliaeth, er enghraifft y beirdd Gillian Clarke a Nigel Jenkins a'r nofelydd Christopher Meredith. Ganed Gillian Clarke yng Nghaerdydd yn 1937, ond mae wedi ymgartrefu yng nghefn-gwlad Ceredigion, ac mae'n ysgrifennu gyda chydymdeimlad dwfn â byd natur, gan gysylltu'i rythmau â bywydau merched. Mae'r Gymraeg yn bwysig iddi, a seiliodd ei cherdd hir am ei hatgofion am ei thad, 'The King of Britain's Daughter' (1993) ar chwedl Branwen o'r Mabinogi. Ond at ei gilydd, mae adwaith wedi bod yn erbyn y math o genedlaetholdeb hanesyddol a geir yng ngwaith R. S. Thomas, er na welir yr elyniaeth agored tuag at yr iaith Gymraeg a

Gillian Clarke.

geid gan rai awduron yn hanner cyntaf y ganrif. Dan ddylanwad haneswyr llafur fel Gwyn Alf Williams, mae awduron newydd wedi tueddu i ganolbwyntio ar eu hamgylchfyd ôl-ddiwydiannol, gydag ymwybyddiaeth gref o'r modd y bu i amodau gwaith lunio bywydau pobl.

Mae cerddi ac ysgrifau Robert Minhinnick yn cyflwyno darlun byw a bygythiol o ddirywiad y gymdeithas gyfalafol yn ardal ei gynefin ger Penybont-ar-Ogwr a hefyd yn fyd-eang. Mae pryder dros yr amgylchfyd a chydymdeimlad â phobl yr ymylon yn bwysicach o lawer yn ei waith nag unrhyw achos cenedlaethol. Ond ni olyga hynny fod ei waith yn llai Cymreig nag eiddo awduron sy'n arddangos eu hunaniaeth genedlaethol. Mae'r ymdeimlad â lle a'r ymuniaethu â'i bobl yn nodweddiadol, ac felly hefyd y darlunio llachar, sy'n dwyn i gof waith Glyn Jones. Mae Tony Curtis yn fardd rhagorol arall sy'n ysgrifennu am bobl de Cymru yn anad dim, gan ddefnyddio'r iaith lafar yn deimladwy iawn. Marwnadau yw rhai o'i gerddi mwyaf nodedig, a chan fod y farwnad yn flaenllaw yng ngwaith nifer o feirdd Eingl-Gymreig eraill, fe ddichon fod hyn yn esiampl o ddylanwad y traddodiad Cymraeg o farddoni cymdeithasol ar lenyddiaeth Saesneg Cymru. Yn sicr, mae dwyieithrwydd wedi ysgogi diddordeb yn natur iaith ei hun, yn ei hynodion a'i ffrwythlondeb di-ben-draw, fel y gwelir yng ngherddi arbrofol afieithus Peter Finch, awdur sydd wedi gwneud llawer i hyrwyddo barddoniaeth arloesol yng Nghymru. Fel y gwelwyd eisoes yn y Gymraeg, mae rhychwant thematig llenydd-iaeth Saesneg Cymru wedi'i ehangu'n ddiweddar gan leisiau nifer o ferched. Yn ogystal â Gillian Clarke a'r bardd dwyieithog Gwyneth Lewis, ac ymhlith nifer o rai eraill, dylid nodi barddoniaeth Jean Earle, Ruth Bidgood a Sheenagh Pugh, a ffuglen Glenda Beagan, Siân James a Catherine Merriman.

Mae dirywiad diwydiannau Cymru wedi ysgogi llifeiriant o nofelau hanesyddol am ddatblygiad cynnar y cymunedau diwydiannol. Y gorau o'r rhain yw nofelau grymus Alexander Cordell, sy'n seiliedig ar ymchwil ofalus, gan gychwyn gyda hanes mudiad y Siartwyr yn *Rape of the Fair Country* (1959). Ond y Gymru ôl-ddiwydiannol sydd wedi hawlio sylw awduron diweddar. Mae nofelau a straeon byrion Alun Richards a Ron Berry yn y 1960au a'r 1970au yn dangos cymoedd y de heb eu llethu bellach gan galedi cyfnod y Dirwasgiad, ond yn ddiymadferth wrth i'w sylfaen ddiwydiannol ddiflannu. Lleddfir y boen gan rywfaint o hiwmor yn eu gwaith hwy, ond mae ffuglen gyfoes yn fwy llwm, megis *Shifts* (1988) gan Christopher Meredith, nofel am gau gwaith dur yng Ngwent, neu'r darlun brawychus o unigedd yn y ddinas yn nofel Duncan Bush, *Glass Shot* (1991).

Diwylliant ar chwâl a welir yn nramâu Ed Thomas hefyd, fel *House of America* (1988). Thomas yw'r dramodydd Saesneg mwyaf grymus yng Nghymru ar hyn o bryd, ac mae wedi llunio peth o'i waith yn Gymraeg hefyd. Dyna esiampl arall, felly, o awdur yn gweithio yn y ddwy iaith, tuedd sydd fel petai ar gynnydd ar hyn o bryd.

Bu llenyddiaeth yn elfen ganolog yng nghenedligrwydd y Cymry erioed, yn fodd i ddatgan eu hymlyniad wrth werthoedd y gorffennol a'u hawydd i barhau'n bobl ar wahân er gwaethaf methiannau gwleidyddol. Mae hynny'n fwy gwir heddiw nag erioed oherwydd y bygythiad i'r iaith a'r cymunedau sydd wedi bod yn sylfaen i'r llenyddiaeth. Mae rhaniadau dwfn y Gymru fodern yn ganlyniad anochel i'w chyflwr ôl-drefedigaethol, ac fe'u hadlewyrchir gan fodolaeth ei dwy lenyddiaeth, a hefyd gan yr amrywiaeth mawr o safbwyntiau o fewn y naill a'r llall. Ond yr un argyfwng sy'n wynebu holl bobl Cymru, beth bynnag fo eu cefndir ieithyddol, sef y frwydr i gynnal eu hunaniaeth dan bwysau unffurfiaeth lethol y diwylliant Eingl-Americanaidd. Yn hynny o beth mae llenyddiaeth Cymru'n berthnasol i lawer o bobloedd ar hyd y byd, ac mae sylweddoli'r arwyddocâd eang hwnnw wedi rhoi hyder newydd i awduron y genhedlaeth bresennol, ac awch arbennig i'w gwaith.

Ieuan Wyn

'Y Pethe'

Clymau gwarchod traddodiad – yn cynnal
Cenedl rhag dilead;
Dolennau ein cydlyniad,
Hen feini prawf ein parhad.

Darllen Pellach

Ar y cefndir hanesyddol y man cychwyn gorau yw llyfryn J. Graham Jones yn y gyfres hon, *Hanes Cymru* (arg. diwygiedig, 1998). Y cyfeirlyfr safonol yw *Cydymaith i Lenyddiaeth Cymru* (ail arg., 1997). Mae cyfrol Thomas Parry, *Hanes Llenyddiaeth Gymraeg hyd 1900* (1944), yn dal i fod yn arolwg awdurdodol a darllenadwy iawn. Cyfres Saesneg sy'n cynnig darlun manylach o bob cyfnod yw'r *Guide to Welsh Literature*. Hyd yn hyn cafwyd cyfrolau ar y cyfnod cynnar (ail arg., 1992), yr Oesoedd Canol (ail arg., 1997), 1550–1700 (1997), a'r ugeinfed ganrif (1998). Cyflwynir y farddoniaeth gynnar yn gyffredinol gan Gwyn Thomas yn *Y Traddodiad Barddol* (1976) a gwedd arbennig gan Marged Haycock, *Blodeugerdd Barddas o Ganu Crefyddol Cynnar* (1994). Yr astudiaeth lawnaf ar y canu englynol yw *Early Welsh Saga Poetry* (1990) gan Jenny Rowland. Ar y chwedlau rhyddiaith gweler Sioned Davies, *Pedeir Keinc y Mabinogi* (1989) a *Crefft y Cyfarwydd* (1995). Mae *Cyfres Beirdd y Tywysogion* (saith cyfrol, 1991–96) yn olygiad manwl o holl weithiau'r beirdd ynghyd ag aralleiriadau. Ar Feirdd yr Uchelwyr gellir cychwyn gyda'r tair astudiaeth yn y gyfres *Llên y Llenor*, R. Geraint Gruffydd, *Dafydd ap Gwilym* (1987), Dafydd Johnston, *Iolo Goch* (1989), a Gilbert Ruddock, *Dafydd Nanmor* (1992). Ar hanes cyfieithu'r Beibl a'i ddylanwad ar lenyddiaeth Gymraeg gweler R. Geraint Gruffydd (gol.), *Y Gair ar Waith* (1988). Os am flasu barddoniaeth y cyfnod modern cynnar dylid troi at *Cyfres y Canrifoedd* Barddas, sy'n cynnwys blodeugerddi o'r ail ganrif ar bymtheg hyd yr ugeinfed. Ceir rhagarweiniadau i waith nifer o awduron modern yn y gyfres *Llên y Llenor*. Casgliad defnyddiol o ysgrifau ar feirdd hanner cyntaf yr ugeinfed ganrif yw *Y Patrwm Amryliw* (gol. Robert Rhys, 1997). Mae'r gyfres *Ysgrifau Beirniadol* (gol. J. E. Caerwyn Williams) yn cynnwys trafodaethau ar lenyddiaeth o bob cyfnod. Am ragor o wybodaeth gweler dwy gyfrol *Llyfryddiaeth Llenyddiaeth Gymraeg* (1976, 1993). Y feirniadaeth bwysicaf ar lenyddiaeth Saesneg Cymru yw astudiaeth arloesol Glyn Jones, *The Dragon has Two Tongues* (1968), ysgrifau M. Wynn Thomas yn *Internal Difference* (1992), a llyfrau Tony Conran, *The Cost of Strangeness* (1982) a *Frontiers in Anglo-Welsh Poetry* (1997). Ceir llyfryddiaeth ddefnyddiol gan John Harris, *A Bibliographical Guide to Twenty-Four Modern Anglo-Welsh Writers* (1994).

Mynegai